LE LIVRE DE MON AMI

LE LIVRE DE PIERRE

PAR

ANATOLE FRANCE
DE L'ACADÉMIE FRANÇAISE

EDITED WITH NOTES, INTRODUCTION, AND
VOCABULARY

BY

O. G. GUERLAC
Professor in Cornell University

NEW YORK
HENRY HOLT AND COMPANY

NOTE

This edition contains only the first of the two parts that compose *le Livre de mon Ami*. *Le Livre de Suzanne* has been omitted because it seemed to lack the peculiar interest, originality, and freshness of *le Livre de Pierre*, which alone is the real autobiography of the author. This is given practically entire, leaving out only the preface, one short passage, and changing a word here and there. The book in this form is irreproachable for class reading.

The editor would have preferred to place the notes at the bottom of the page, where they normally belong. The publishers, however, thought this not in accordance with the general wish of teachers.

In the correction of proof and the preparation of the notes the editor has been generously assisted by Mr. A. A. Moore, of Princeton University, and Professors M. Prévot and W. Strunk, jr., of Cornell University, to whom he is glad to express here his sincere thanks.

O. G. G.

ITHACA,
    May 11, 1905.

INTRODUCTION

I

Le Livre de mon Ami.

Le Livre de mon Ami, of all the books by Anatole France, is the one best fitted to illustrate the qualities of style, composition, imagination and humor which have given to that master of French prose his position well nigh unique in French literature of to-day. Both by its subject and its treatment *le Livre de mon Ami* will win many admirers among those who know how to appreciate distinction of style, subtlety of thought and that gentle kindness which underlies all the works of this versatile ironist.

Le Livre de mon Ami is an autobiography and one of the rarest kind: the autobiography of a child. Dickens's *David Copperfield*, and Daudet's *le Petit Chose*, among many others, have familiarized us with this class of books, in which the impressions, emotions and fancies of a child are told or interpreted by a man of sympathetic and keen intelligence. And when these impressions are recorded by Anatole France with that exquisite combination of mock naivete, smiling humor and deep pathos, the pleasure of those childhood reminiscences, which to all of us have a sort of personal flavor, is enhanced and deepened.

Jules Lemaître has summed up in a felicitous manner the qualities that go to make of *le Livre de mon Ami* a book of all and for all. "It will please mothers for it speaks of children, it will charm women for it is delicate and pure. It will delight poets for it is full of poetry at once the most natural and the most exquisite. It will satisfy philosophers for the reader feels in it all the time, as one may well imagine, the habit of serious meditation. Psychologists will like it because they will find in it the most subtle analysis of a child's soul. It will meet with the approbation of the old humanists for it breathes the love of true humanities. It will fascinate all tender souls because it is full of tenderness and it will not displease sceptics for it does not lack irony and reveals more resignation than optimism."[1]

To the student who looks in all French texts for material on French life *le Livre de mon Ami* may not, at first, appear to be a very rich mine, and yet, in this simple story of a child born in that peculiar environment and atmosphere that he has so well described, surrounded by old books, old etchings, old historic relics scattered in the tin boxes of the 'bouquinistes' or in the curiosity shops of the art dealers, much valuable information may be found.

What impressions the daily spectacle of all these witnesses of the past, of all these forms of art and beauty, make on the receptive and sensitive mind of a little boy, what lessons, what philosophy of life he may gather from the contemplation of this medley of

[1] *Les Contemporains, 2me série,* pp. 107 and 108.

quaint bric-à-brac and incongruous folios, memorials of all the contradictions, errors, hopes, delusions, of our poor humanity, Anatole France has told in pages where his delightful irony, deep insight and witty sarcasm are at their best.

The boarding school of Mlle. Lefort shows also, in a way that all school boys will relish, what a French kindergarten was, fifty years ago. The queer types of teachers that helped to form the mind of M. France in the classes of the old Collège Stanislas, in the early sixties, live before us in sketches so true to life that every one who has gone through a French college will recognize in them pictures of some of the old pedagogues who, to this day, teach the classics to many young Frenchmen.

What benefit accrues from the cultivation of the humanities and from intimate acquaintance with the noblest works of Greece and Rome we should know from M. Anatole France's own example if we had not, besides, his eloquent testimony in those pages in which he tells of the educational value of the classics, and the enchantment that Vergil, Livy and Homer had for him even when interpreted by eccentric or incompetent masters. "To form a mind nothing is better than the study of the two ancient literatures according to the method of old French humanists" and this statement every line of his work illustrates with a force that cannot help strike even the readers the least prepared to admire the subtle influence of the great models of Greece and Rome.

This book which is not a story but contains stories,

this novel without a plot, this autobiography full of
episodes, sketches and digressions that have only
a slight relation to the biography of the author, is
typical of all that Anatole France has written, and no
other book could better introduce the reader to this
rich and unique collection. *La Rôtisserie de la Reine
Pédauque* as well as *le Jardin d'Epicure*, *l'Orme du
Mail* as well as *l'Anneau d'Améthyste*, *le Crime de
Sylvestre Bonnard* as well as *le Lys Rouge*, novels
that are essays and articles of criticism that read like
novels, are all books of the same order. In all of
them we find the same qualities and perhaps the same
faults ; all are in a way autobiographies of the author ;
all are variations on this unique theme — the relativ-
ity of all things, the vanity of this world to which we
attach so exaggerated an importance. Says our friend
Pierre Nozière after strolling on the quays: (p. 105)
« J'ai pris, tout enfant, un profond sentiment de l'é-
coulement des choses et du néant de tout. J'ai deviné
que les êtres n'étaient que des images dans l'universelle illusion. . . .»

Mademoiselle Préfère in seeing the numerous books
in M. Sylvestre Bonnard's library exclaims in aston-
ishment : 'What a lot of books !' These books which
contain all the discoveries of science, all the attempts
of human intelligence to solve the riddle of this uni-
verse, have taught Sylvestre Bonnard as well as little
Pierre Nozière and M. France, who are the same person, that human learning is a mass of contradictions,
that what man, in his conceit, considers as proved is
not even probable and moreover that the importance

that he attributes to himself and to the globe he lives on is a mere delusion born of his ignorance. Astronomy teaches us that this globe of ours of which we think so much is nothing but a "little ball turning awkwardly around a half extinguished sun carrying us like vermin on its moldy surface."

What are we to do then since we know nothing, are sure of nothing and moreover are only transitory passengers on a globe bound we do not know where? The only thing worth while is to cultivate our intelligence, look on the world as we should on a spectacle, bring into play our aesthetic faculties and enjoy whatever beauty surrounds us.

This attitude towards life, known as dilettanteism, has been for a long time the dominant character and main weakness of Anatole France's work; it pervades all his books be they novels or books of criticism, dialogues or recollections.

But speculation, sarcasm, the critical spirit that analyses every thought and belief, are all very well as long as they do not dissolve and destroy in us the reasons for living and acting. Many were afraid that such was the effect of M. France's work.

"If we place to one side," says M. Lanson, "'le Livre de mon Ami' which is a sort of autobiography, the subjects treated by M. France have this in common that they shock common morality, baffle general belief, condemn common practice as regards truth, justice, virtue."[1]

---

[1] *Pages choisies des Grands Écrivains, Anatole France,* Introduction, xv, xvi.

Likewise M. Gréard, the late vice-rector of the University of Paris, when he received him in the French Academy in 1896, thought it his duty to warn the brilliant author against the dangers of this tendency : « Les débauches prolongées, les ivresses du pur intellectualisme ne laissent trop souvent après elles qu'angoisse et détresse. Les individus y perdent le sens et le goût de l'existence ; les peuples en meurent.»[1]

Whether M. Anatole France himself has felt the danger and realized the responsibilities of this destructive Pyrrhonism is not easy to tell. But we are sure of one thing, namely that this sceptic is not a selfish and cold dilettante indifferent to everything except his own amusement. As is the case with many ironists his heart is generous and warm. « L'ironie et la pitié sont deux bonnes conseillères : l'une, en souriant nous rend la vie aimable, l'autre qui pleure, nous la rend sacrée.» This sums up both the theory and the practice of Anatole France.

As we shall show further, this artist who has lived all his life in the company of the poets, the philosophers and the cynics of the past, showed himself recently a brave man ready to sacrifice everything for a cause of humanity and justice.

He has become an ardent denouncer of the present social order, a foe of social iniquity, an eloquent apostle of peace, an advocate of and believer in socialism. The gentle sceptic who wrote, « J'étais conservateur. Il m'en reste quelque chose, et toute ma vie m'a laissé

---

[1] See *Le Temps* or *Le Journal des Débats* of December 25, 1896, containing the speeches both of Anatole France and M. Gréard. at the *séance de réception* of the French Academy

l'ami des vieux arbres et des curés de campagne,»
presides now at socialistic meetings, writes prefaces
to the speeches of the ex-Prime Minister Combes and
publishes pamphlets against the Church.

This attitude however is not as illogical as it may
first seem. A man who has the keen and penetrating
intelligence of Anatole France, who after having
thought, observed and studied, concludes that this
world is a world of misery, illusions and sham, does
not necessarily become an idle, indifferent and pas-
sive spectator of the great show of which he alone is
not a dupe. If he be a noble mind his sympathy will
not remain unmoved before the distressing sight of
his fellow beings who live in a dream which to many
is a nightmare and who, in their ignorance, take for
reality what he knows to be mere appearance. He
will say with the hero of this book, " Et j'ai été dès
lors enclin à la tristesse, à la douceur et à la pitié,"
and he will go out, he the sceptic, and work and
fight for progress and justice, with an ardor, conviction
and self-devotion that may well put to shame thou-
sands of those selfish believers whom their so-called
faith has never moved to any deeds of altruism, gen-
erosity or sacrifice.

But however open to objection may be the subject,
inspiration, or treatment of many of France's books
(outside of *le Livre de mon Ami* and *Sylvestre Bonnard*) there is but one voice to praise the unrivalled
mastery of their form. M. France has told us himself to what we must ascribe this admirable beauty of
his style. While he was at school he began to love and
imitate the great classics, and in spite of the example

of many of his contemporaries who have introduced in their style all the new words, new constructions, new grouping of terms, that their fancy suggested, he remained faithful to the pure and undefiled models of classic French. « J'avais dès lors un goût du beau latin et du beau français que je n'ai pas encore perdu.»

The «beau français» as M. France understands it, he is to-day almost the only one to represent, since his master Renan died. This form does not lend itself to analysis like the more elaborate and artificial style of a Théophile Gautier, a Goncourt or even a Daudet. Its charm is made of its simplicity; its grace, its harmony must be felt: they cannot be explained. A rather slender vocabulary, no neologisms, no attempts at local color, no effort to rival through the use of sonorous or plastic words the art of the painter or sculptor, but a little touch of archaism, an almost delusive naturalness and transparence of style, a delicate feeling for the suggestive power of words, a faultless choice of terms, absolute sobriety of taste, an unimpeachable sense of the harmony and rhythm of a phrase, these are some of the qualities of the style of Anatole France that delight the connoisseurs and make one of his admirers, the critic Téodor de Wyzewa, say: «Nous lui devons les phrases les plus douces et les plus légères qui depuis vingt ans nous aient chanté aux oreilles. [1]»

[1] *Nos Maîtres* p. 231. Compare Jules Lemaître's estimate:
" Il s'y trouve du Racine, du Voltaire, du Flaubert, du Renan; et c'est toujours de l'Anatole France. Cet homme a la perfection dans la grâce; il est l'extrême fleur du génie latin."
Les Contemporains, 6e série, p. 275.

Perhaps no other writer of to-day, on that score alone, deserves better to be proposed as a model to students who are beginning to familiarize themselves with the French language, its genius, its charm, its richness and its possibilities.

II

BIOGRAPHY OF ANATOLE FRANCE.

The story of a man of letters is rarely an eventful and romantic one. In the case of Anatole France the biography is merely the recital of his literary productions.

Anatole France is a Parisian. It was his good fortune that he never had to leave Paris to earn his living through the drudgery of a provincial career. In his native city he found a congenial occupation until the success of his works assured him a competency and allowed him to live a quiet and comfortable life in the midst of his precious books and art treasures, working at his leisure and writing as he was moved, without the feverish haste that characterizes so many literary men.

The environment as well as the education of Anatole France prepared him for his career. At the beginning of the sixth chapter of *le Livre de mon Ami* he describes in a charming manner that Quai Malaquais where he was born April 16, 1844, and which the booksellers and antiquarians have transformed into a permanent exhibition of old books, rare etchings and beautiful bindings. In this special milieu the young Jacques Anatole Thibault, now universally known as Anatole France, could not help becoming a lover, a connoisseur and finally a writer of books.

He was a precocious, sensitive and nervous child. His mother, a tender and pious woman, had a romantic mind, loved fairy tales and cultivated her son's imagination : to her, very likely, he owes that gentle refinement and kindness of heart that pervades *le Livre de mon Ami* and most of his books. His father was from Anjou, a section in Western France which, from the Revolution down to the present day, has been a hotbed of monarchism and clericalism; he was by trade a bookseller and his store was patronized by the many booklovers who haunt the banks of the Seine in search of old prints and rare editions. Like many booksellers of that time M. Thibault was a lover of books himself, a passionate collector and, besides writing verses after a method of his own, was especially interested in documents on that French Revolution which he hated.[1] Thus the poetic in-

[1] It is interesting to quote here a letter addressed by Anatole France to a man of letters and reproduced in François Carez's *Auteurs Contemporains* (p. 82): " Je vous confie que tout ce qui, dans ce volume (*le Livre de mon Ami*), concerne le petit Nozière, forme un récit exact de mon enfance, sous cette réserve que mon père était non médecin mais libraire sur le quai Voltaire et que les choses domestiques étaient plus étroites et plus humbles chez nous qu'elles ne sont chez un petit médecin de quartier. Le caractère de mon père n'est pas moins conservé dans celui du docteur Nozière. Mon père est devenu un homme instruit, presque savant, à la fin de sa vie."

stincts as well as the scholarly habits and the inex-
haustible fund of book-knowledge of our author may
be accounted for by this double heredity.

Young Thibault was sent by his pious parents to a
school conducted by priests where he might receive
an education in conformity with the beliefs and traditions of his people. It appears that at the Collège
Stanislas from which he has given us in this book
some charming sketches he did not shine as much
as might be expected. The religious training had
the effect of making a sceptic out of the son of the
Vendée monarchist. In his studies, too, he followed
his fancy more than the lessons of his teachers and
his absentmindedness was their great complaint. M.
Gréard addressing him in his speech before the
French Academy pictured him in these words : « Vous
étiez un de ces élèves, tourment et joie du maître, qui
flânent autour des devoirs, se dérobent à l'explication
commune et, suivant la fantaisie à laquelle elle a
donné l'éveil, se font eux-mêmes en dedans la leçon
qui leur plaît. »

Many times, he himself tells us, the teacher would
admonish him : « Monsieur Pierre Nozière, vous vous
occupez de choses étrangères à la classe.» The young
idler, however, did not lose all the benefit of the lesson ; he enjoyed, in his own way, the authors that
were read and commented on ; they awakened in him
those feelings of genuine enthusiasm which he has so
admirably expressed in the chapter entitled « Humanities», and which gave him a discipline of which his
whole work testifies. Strange to say, however, he

was not then very highly thought of by his teachers.
While they approved of his Latin orations, to which
students of that time were wont to apply themselves,
in French theme-writing "he lacked taste," so his
professor said.

And still his bent was to write, and the only career
that seemed open to the young man for whom books
were everything, was to write books. Fortunately he
did not have to live by his pen, for his pen became
really productive only late in his life.[1] He had the
luck soon to find one of those positions of librarian
in a public library so anxiously sought after by young
men of letters to-day who imagine that they cannot
live away from the artistic atmosphere and literary
surroundings of Paris. Nobody could love Paris
more than the man who once wrote : "Je suis
Parisien de toute mon âme et de toute ma chair ;
de Paris je connais tous les pavés, j'adore toutes les
pierres ; " nobody, on the other hand, could be better
fitted for the work of a library than the son of
the bookseller of the " quais," who was raised among
books, who always was a passionate bookworm and
whom some one who knew him well defined as " a
smiling Benedictine." [2]

Meanwhile, he lived the life of the young 'lit-
térateurs' of the Latin Quarter who, grouped into
small coteries, gather in the cafés around the Odéon,

[1] He was for a time a reader for the famous publisher
Lemerre; and he became in 1876 librarian of the Senate where
he was the colleague of Leconte de Lisle.

[2] See Anatole France, La Vie Littéraire ; préface.

where they recite the poems of their favorite authors
and discuss with the spontaneity and originality of
youths on topics of art and literature. Anatole
France belonged to the Parnassian group and his
master was the magnificent artist of French verse,
the late Leconte de Lisle, who shared at that time
with Victor Hugo the admiration of the young
generation.

Curiously enough most of the successful novelists
and prose writers of to-day, Daudet, Maupassant,
Paul Bourget, began their career by writing poetry.
Anatole France is no exception to the rule. Omit-
ting some journalistic work, some literary essays on
his favorite authors such as Alfred de Vigny (1868)
and several introductions to the classics which usually constitute the pastime of pedagogues rather than
of artists, his first original book was one of poems
in which the influence of his models can be easily
detected. They reveal the young man who had felt
the charm, was still under the spell of Greek art
and Greek thought, and was to be forever a faithful
devotee of Hellenism. Such delicate works as *Poèmes
dorés* (1873) or *les Noces corinthiennes* (1876) were
not however to reach the general public.

Anatole France had to wait until 1881 when appeared *le Crime de Sylvestre Bonnard*, to become
something more than a mere name vaguely remembered for having been noticed on the title pages of
class books, or on small volumes of verse published
by Lemerre. This story, the freshness and originality of which was a revelation, was crowned by the

French Academy, and then began Anatole France's active career. In 1885 appeared *le Livre de mon Ami* in which he gives, as we have said, his own biography under the pretext of publishing the recollections of "a friend." The success was very great. More than fifty-six editions of this masterpiece have been printed up to this day. He was, however, a slow, diffident, and if we were to believe him, a "lazy" writer. But under the strong pressure of both publishers and public he began presently to yield a more steady and fertile crop.

As critic of a very influential French paper, *Le Temps*, he came in contact with a large constituency to whom he brought every week his impressions and commentaries on the literary output of the day with a free suggestiveness and a nonchalance that the objective critics of the Brunetière type accused of frivolity and branded as 'impressionism,' but which his readers relished as a treat. These volumes he gathered in a series known as *la Vie littéraire*, (1888–92). His literary activity seemed to grow stronger as he became older, and in the nineties his career reached its climax.

In 1893 *la Rôtisserie de la Reine Pédauque, les Opinions de Jérôme Coignard*, and the novels that followed, all of the same type, with their weird historical setting, archaic flavor, and their mixture of erudition, humor, mocking irreverence and bold thought, expressed with such felicity the state of mind of his contemporaries on all the great problems of life that the gentle sceptic and amiable iconoclast

became, Renan having died, the recognized leader
of intellectual Frenchmen. His books were as many
literary events and no one could any longer afford
to ignore him.

In 1896 the French Academy gave him, on the
first ballot, the seat of the great and unfortunate
Ferdinand de Lesseps, whose eulogy he delivered
with tact and eloquence on the day of his reception
into that assembly, December 24, 1896.

With the publication of *l'Orme du Mail* in 1897
in which we see for the first time his now immortal
M. Bergeret, Anatole France entered a new field
and extended his influence far beyond the circle of
literati, who up to then swore by him. This *Histoire
contemporaine*, now composed of four volumes, he
carried on in the columns of Parisian papers from
1897 to 1901. It is the most witty, profound and
redoubtable arraignment of the present social and
political condition of the French bourgeoisie, and it
is not without reason that a young writer describing
recently the Revolutionary elements scattered in
the different classes of French society counted Anatole France among the new apostles that are presently at work for the preparation of a better state
of things and the building up of a new social order.[1]

It is while Anatole France was writing this series
that a political crisis broke out, and suddenly at
the end of the year 1897, to the amazement of every
one, this refined and quiet dilettante came forward

[1] Alvan Francis Sanborn: *Paris and the Social Revolution*,
1905. p. 324–327.

with a few other brave citizens called the "Intel-lectuals" who performed with admirable courage a great duty. In the courts of justice, on the platform of popular meetings and in the press they protested against a judicial error committed by an incompetent and prejudiced court martial and henceforth blindly accepted and stubbornly sustained by the combined and brutal forces of the government, the army, and the mob.

Since then M. Anatole France has been a new man. Now this delicate Pyrrhonist whose piquant and scholarly paradoxes have delighted the most refined intellects of his generation is seen to leave in the evening his elegant mansion in the Villa Saïd near the Bois de Boulogne and to go out to the 'fau-bourgs' to speak before an audience of a *Université populaire*, to preside over a mass meeting, protesting against war, against tsarism, militarism, clericalism. He no longer is satisfied with the subtle irony with which he used to undermine the foundation of modern society and rail at traditions, beliefs and prejudices. He now attacks directly in strong and bold utterances what he deems the errors, abuses, and crimes of this twentieth century civilization. The arguments and ideas he so deftly insinuated in the elegant dissertations under the cover of some fan-ciful story, he now expounds in plain direct language, and prints in small ten cent pamphlets. He has not ceased to address the intellectuals: *Crainquebille*, *Sur la Pierre blanche* are for them. But he speaks and writes also for the masses; for them he has written the admirable speeches on Emile Zola, on Diderot, on peace, church and state, on all the social and religious problems that at this hour beset the French people.

The son of the royalist bookseller, the little boy whom his parents entrusted to the priests of Stanislas, the tolerant, easy going and sceptical dilettante so often accused of annihilating the will, of discouraging action and spreading a doctrine of selfish pleasure, stands to-day as the most brilliant free lance that Socialism can boast of and a defender of proletariat such as the *demos* rarely ever found.

III

BIBLIOGRAPHY

(From this bibliography the classical or school editions published by Anatole France are omitted.)

Alfred de Vigny, étude, 1868.

Les Poèmes dorés, 1873.

Les Noces corinthiennes. Leuconoé. La Veuve. La Pia. La prise de voile. L'auteur à un ami, 1876.

Poésies, containing the preceding two books. Lemerre, 1896.

Jocaste et le Chat maigre. 1879.

Le Crime de Silvestre Bonnard, 1881.

Les Désirs de Jean Servien, 1882.

Abeille, conte, 1884.

Le Livre de mon ami, 1885.

Nos enfants, scènes de la ville et des champs, with illustrations by Boutet de Monvel, 1886; 2d edition, 1900.

Balthasar, 1889.

Thaïs, 1890.

L'Étui de nacre, 1892.

La Rôtisserie de la reine Pédauque, 1893.

Les Opinions de Jérôme Coignard, 1893.

L'Elvire de Lamartine, étude biographique, 1893.

Lucile de Chateaubriand, 1894.

Le Jardin d'Épicure, 1894.

Le Lys rouge, 1894.

Le Puits de Sainte-Claire, 1895.

L'Orme du Mail, 1897.

La Vie littéraire, 1re série, 1888.

        —   2me série, 1890.

        —   3me série, 1891.

        —   4me série, 1892.

Le Mannequin d'osier, 1898.

Au petit bonheur, comédie en un acte, 50 copies printed, 1898.

L'Anneau d'améthyste, 1899.

Pierre Nozière, 1899.

Monsieur Bergeret à Paris, 1901.

Opinions socialistes, 2 vols. pamphlet, 1902.

Histoire comique, 1903.

Crainquebille, Putois Riquet et plusieurs autres récits profitables 1904.

Le Parti noir, introduction to the book of E. Combes, *Une campagne laïque*, pamphlet, 1904.

Sur la Pierre blanche, 1905.

L'Église et la République, pamphlet, 1905.

Vers les temps meilleurs, pamphlet, 1906.

CRITICISMS ON ANATOLE FRANCE

In French

JULES LEMAÎTRE, *Les Contemporains*, 2e et 6e séries.

GUSTAVE LARROUMET, *Études de littérature et d'art*, 3e série.

RENÉ DOUMIC, *Études sur la littérature française*, 2e série.

GEORGES PELLISSIER, *Nouveaux Essais sur la littérature contemporaine.*

    Le Mouvement littéraire contemporain.

CHARLES RECOLIN, *L'Anarchie littéraire.*

GEORGES RENARD, *Les Princes de la jeune Critique.*

ÉDOUARD ROD, *Nouvelles Études sur le XIXe Siècle.*

TÉODOR DE WYZEWA, *Nos Maîtres.*

GASTON DESCHAMPS *La Vie et les Livres*, 2e série.

OCTAVE GRÉARD, *Discours de réception à l'Académie Française.* (*Le Temps, le Journal des Débats,* Dec. 25, 1896). This speech may also be found with that of Anatole France in the *Journal Officiel* of one of the following days.

FRANÇOIS CAREZ, *Auteurs Contemporains.*

G. LANSON, *Pages choisies des Grands Écrivains.* Anatole France.

PETIT DE JULLEVILLE, *Histoire de la Littérature Française.* Vol. VIII.

E. GILBERT, *Le Roman en France pendant le XIXe siècle.*

In English

W. L. COURTNEY, *Studies at Leisure.*

Y. BLAZE DE BURY, *French Literature of To-day.*

B. W. WELLS, *A Century of French Fiction.*
  Editions of *le Crime de Sylvestre Bonnard* (Introduction by C. H. C. Wright); *Monsieur Bergeret* (Introduction by F. H. Dike.)

The Bookman, October, 1898. (F. T. Cooper.)

The Nation, April, 1899. A new French Historian. (O. Guerlac.)

The Cornhill Magazine, June, 1900. A Literary Nihilist. (Thomas Seccombe.)

The Quarterly Review, October, 1900. The novels of M. Anatole France.

The Edinburgh Review, April, 1902. M. Anatole France.

The Atlantic Monthly, March, 1906. Anatole France. (B. Torrey.)

The North American Review, January, 1907. Anatole France (J. Huneker.)

LE LIVRE DE MON AMI

I

PREMIÈRES CONQUÊTES

I

LES MONSTRES

Les personnes qui m'ont dit ne se rien rappeler des premières années de leur enfance m'ont beaucoup surpris. Pour moi, j'ai gardé de vifs souvenirs du temps où j'étais un très petit enfant. Ce sont, il est vrai, des images isolées, mais qui, par cela même, ne se 5 détachent qu'avec plus d'éclat sur un fond obscur et mystérieux. Bien que je sois encore assez éloigné de la vieillesse, ces souvenirs, que j'aime, me semblent venir d'un passé infiniment profond. Je me figure qu'alors le monde était dans sa magnifique nouveauté 10 et tout revêtu de fraîches couleurs. Si j'étais un sauvage, je croirais le monde aussi jeune ou, si vous voulez, aussi vieux que moi. Mais j'ai le malheur de n'être point un sauvage. J'ai lu beaucoup de livres sur l'antiquité de la terre et l'origine des espèces, et 15 je mesure avec mélancolie la courte durée des individus à la longue durée des races. Je sais donc qu'il n'y a pas très longtemps que j'avais mon lit à galerie dans une grande chambre d'un vieil hôtel fort déchu,

qui a été démoli depuis pour faire place aux bâti-
ments neufs de l'École des Beaux-Arts. C'est là
qu'habitait mon père, modeste médecin et grand
collectionneur de curiosités naturelles. Qui est-ce
5 qui dit que les enfants n'ont pas de mémoire ? Je la
vois encore, cette chambre, avec son papier vert à
ramages et une jolie gravure en couleur qui représentait, comme je l'ai su depuis, Virginie traversant dans
les bras de Paul le gué de la rivière Noire. Il m'ar-
10 riva dans cette chambre des aventures extraordi-
naires.

J'y avais, comme j'ai dit, un petit lit à galerie qui
restait tout le jour dans un coin et que ma mère
plaçait, chaque nuit, au milieu de la chambre, sans
15 doute pour le rapprocher du sien, dont les rideaux
immenses me remplissaient de crainte et d'admiration. C'était toute une affaire de me coucher. Il y
fallait des supplications, des larmes, des embrasse-
ments. Et ce n'était pas tout : je m'échappais en
20 chemise et je sautais comme un lapin. Ma mère me
rattrapait sous un meuble pour me mettre au lit.
C'était très gai.

Mais à peine étais-je couché, que des personnages
tout à fait étrangers à ma famille se mettaient à
25 défiler autour de moi. Ils avaient des nez en bec de
cigogne, des moustaches hérissées, des ventres poin-
tus et des jambes comme des pattes de coq. Ils se
montraient de profil, avec un œil rond au milieu de
la joue et défilaient, portant balais, broches, guitares,
30 seringues et quelques instruments inconnus. Laids
comme ils étaient, ils n'auraient pas dû se montrer ;

mais je dois leur rendre une justice : ils se coulaient
sans bruit le long du mur et aucun d'eux, pas même
le plus petit et le dernier ne fit jamais un pas vers
mon lit.   Une force les retenait visiblement aux murs
le long desquels ils glissaient sans présenter une   5
épaisseur appréciable.   Cela me rassurait un peu ;
d'ailleurs, je veillais.   Ce n'est pas en pareille compagnie, vous pensez bien, qu'on ferme l'œil.   Je
tenais mes yeux ouverts.   Et pourtant (cela est un
autre prodige) je me retrouvais tout à coup dans la   10
chambre pleine de soleil, n'y voyant que ma mère en
peignoir rose et ne sachant pas du tout comment la
nuit et les monstres s'en étaient allés.

— Quel dormeur tu fais ! disait ma mère en riant.

Il fallait, en effet, que je fusse un fameux dormeur.   15

Hier, en flânant sur les quais, je vis dans la boutique d'un marchand de gravures un de ces cahiers de
grotesques dans lesquels le Lorrain Callot exerça sa
pointe fine et dure et qui se sont faits rares depuis
mon enfance.   Une marchande d'estampes, la mère   20
Mignot, notre voisine, en tapissait tout un mur, et je
les regardais chaque jour, en allant à la promenade et
en en revenant ; je nourrissais mes yeux de ces monstres, et, quand j'étais couché dans mon petit lit à
galerie, je les revoyais sans avoir l'esprit de les re-   25
connaître.   Ce coquin de Callot !

Le petit cahier que je feuilletais réveilla en moi
tout un monde évanoui, et je sentis s'élever dans mon
âme comme une poussière embaumée au milieu de laquelle passaient des ombres chéries.   30

II

LA DAME EN BLANC

En ce temps-là, deux dames habitaient la même maison que nous, deux dames vêtues l'une tout de blanc, l'autre tout de noir.

Ne me demandez pas si elles étaient jeunes ; cela passait ma connaissance. Mais je sais qu'elles sentaient bon et qu'elles avaient toute sorte de délicatesses. Ma mère, fort occupée et qui n'aimait pas à voisiner, n'allait guère chez elles. Mais j'y allais souvent, moi, surtout à l'heure du goûter, parce que la dame en noir me donnait des gâteaux. Donc, je faisais seul mes visites. Il fallait traverser la cour. Ma mère me surveillait de sa fenêtre, et frappait sur les vitres quand je m'oubliais trop longtemps à contempler le cocher qui pansait ses chevaux. C'était tout un travail de monter l'escalier à rampe de fer, dont les hauts degrés n'avaient point été faits pour mes petites jambes. J'étais bien payé de ma peine dès que j'entrais dans la chambre des dames ; car il y avait là mille choses qui me plongeaient dans l'extase. Mais rien n'égalait les deux magots de porcelaine qui se tenaient assis sur la cheminée, de chaque côté de la pendule. D'eux-mêmes, ils hochaient la tête et tiraient la langue. J'appris qu'ils venaient de Chine et je me promis d'y aller. La difficulté était de m'y faire conduire par ma bonne.

4

J'avais acquis la certitude que la Chine était derrière l'Arc-de-Triomphe, mais je ne trouvais jamais moyen de pousser jusque-là.

Il y avait aussi, dans la chambre des dames, un tapis à fleurs, sur lequel je me roulais avec délices, et un petit canapé doux et profond, dont je faisais tantôt un cheval ou une voiture. La dame en noir, un peu grasse, je crois, était très douce et ne me grondait jamais. La dame en blanc avait ses impatiences et ses brusqueries, mais elle riait si joliment! Nous faisions bon ménage tous les trois, et j'avais arrangé dans ma tête qu'il ne viendrait jamais que moi dans la chambre aux magots. La dame en blanc, à qui je fis part de cette décision, se moqua bien un peu de moi, à ce qu'il me sembla; mais j'insistai et elle me promit tout ce que je voulus.

Elle promit. Un jour pourtant, je trouvai un monsieur assis dans mon canapé, les pieds sur mon tapis et causant à mes dames avec un air de satisfaction. Il leur donna même une lettre qu'elles lui rendirent après l'avoir lue. Cela me déplut, et je demandai de l'eau sucrée parce que j'avais soif et aussi pour qu'on fît attention à moi. En effet, le monsieur me regarda.

— C'est un petit voisin, dit la dame en noir.

— Sa mère n'a que celui-là, n'est-il pas vrai? reprit le monsieur.

— Il est vrai, dit la dame en blanc. Mais qu'est-ce qui vous a fait croire cela?

— C'est qu'il a l'air d'un enfant bien gâté, reprit le monsieur. En ce moment, il ouvre des yeux comme des portes cochères.

C'était pour le mieux voir. Je ne veux pas me flatter, mais je compris admirablement, après la conversation, que la dame en blanc avait un mari qui était quelque chose dans un pays lointain, que le 5 visiteur apportait une lettre de ce mari et qu'on le remerciait de son obligeance. Tout cela ne me contenta pas et, en m'en allant, je refusai d'embrasser la dame en blanc, pour la punir.

Ce jour-là, au dîner, je demandai à mon père ce 10 que c'était qu'un secrétaire. Mon père ne me répondit point, et ma mère me dit que c'était un petit meuble dans lequel on range des papiers. Conçoit-on ceia? On me coucha, et les monstres, avec un œil au milieu de la joue, défilèrent autour de mon lit 15 en faisant plus de grimaces que jamais.

Si vous croyez que je pensai le lendemain au monsieur que j'avais trouvé chez la dame en blanc, vous vous trompez; car je l'avais oublié de tout mon cœur, et il n'eût tenu qu'à lui d'être à jamais effacé de ma 20 mémoire. Mais il eut l'audace de se représenter chez mes deux amies. Je ne sais si ce fut dix jours ou dix ans après ma première visite. J'incline à croire aujourd'hui que ce fut dix jours. Il était étonnant, ce monsieur, de prendre ainsi ma place. Je l'exami-25 nai, cette fois, et ne lui trouvai rien d'agréable. Il avait des cheveux très brillants, des moustaches noires, des favoris noirs, un menton rasé avec une fossette au milieu, la taille fine, de beaux habits, et sur tout cela un air de contentement. Il parlait du 30 cabinet du ministre des Affaires étrangères, où il était attaché depuis deux ans. des modes et des livres

nouveaux, des soirées et des bals dans lesquels il
avait vainement cherché ces dames.   Et elles l'écou-
taient!   Était-ce une conversation, cela?   Et ne pou-
vait-il parler comme faisait avec moi la dame en noir,
du pays où les montagnes sont en caramel, et les   5
rivières en limonade?

Quand il fut parti, la dame en noir dit que c'était
un jeune homme charmant.   Je dis, moi, qu'il était
vieux et qu'il était laid.   Cela fit beaucoup rire la
dame en blanc.   Ce n'était pas risible, pourtant.   10
Mais voilà, elle riait de ce que je disais ou bien elle
ne m'écoutait pas parler.   La dame en blanc avait
ces deux défauts, sans compter un troisième qui me
désespérait: celui de pleurer, de pleurer, de pleurer.
Ma mère m'avait dit que les grandes personnes ne   15
pleuraient jamais.   Ah! c'est qu'elle n'avait pas vu
comme moi la dame en blanc, tombée de côté sur un
fauteuil, une lettre ouverte sur ses genoux, la tête
renversée et son mouchoir sur les yeux.   Cette lettre
(je parierais aujourd'hui que c'était une lettre anony- 20
me) lui faisait bien de la peine.   C'était dommage,
car elle savait si bien rire!   Ces deux visites me
donnèrent l'idée de la demander en mariage.   Elle
me dit qu'elle avait un grand mari au Japon, qu'elle
en aurait un petit sur le quai Malaquais; ce fut   25
arrangé, et elle me donna un gâteau.

Mais le monsieur aux favoris noirs revenait bien
souvent.   Un jour que la dame en blanc me contait
qu'elle ferait venir pour moi de Chine des poissons
bleus, avec une ligne pour les pêcher, il se fit annon- 30
cer et fut reçu.   A la façon dont nous nous regar-

dâmes, il était clair que nous ne nous aimions pas.
La dame en blanc lui dit que sa tante (elle voulait
dire la dame en noir) était allée faire une emplette
aux *Deux Magots*.   Je voyais les deux magots sur la
5 cheminée et je ne concevais pas qu'il fallût sortir
pour leur acheter quoi que ce fût.   Mais il se présente tous les jours des choses si difficiles à comprendre!   Le monsieur ne parut nullement affligé de
l'absence de la dame en noir, et il dit à la dame en
10 blanc qu'il voulait lui parler sérieusement.   Elle
s'arrangea avec coquetterie dans sa causeuse et lui fit
signe qu'elle l'écoutait.   Cependant il me regardait
et semblait embarrassé.

    — Il est très gentil, ce petit garçon, dit-il enfin, en
15 me passant la main sur la tête; mais . . .

    — C'est mon petit mari, dit la dame en blanc.

    — Eh bien! reprit le monsieur, ne pourriez-vous le
renvoyer à sa mère?   Ce que j'ai à vous dire ne doit
être entendu que de vous.

20 Elle lui céda.

    — Chéri, me dit-elle, va jouer dans la salle à
manger, et ne reviens que quand je t'appellerai.   Va,
chéri!

    J'y allai le cœur gros.   Elle était pourtant très cu-
25 rieuse, la salle à manger, à cause d'un tableau à horloge qui représentait une montagne au bord de la mer
avec une église, sous un ciel bleu.   Et, quand l'heure
sonnait, un navire s'agitait sur les flots, une locomotive avec ses voitures sortait d'un tunnel et un ballon
30 s'élevait dans les airs.   Mais, quand l'âme est triste,
rien ne peut lui sourire.   D'ailleurs, le tableau à hor-

loge restait immobile. Il paraît que la locomotive, le
navire et le ballon ne partaient que toutes les heures,
et c'est long, une heure! du moins, ce l'était en ce
temps-là. Par bonheur, la cuisinière vint chercher
quelque chose dans le buffet et, me voyant tout triste, 5
me donna des confitures qui charmèrent les peines de
mon cœur. Mais, quand je n'eus plus de confitures,
je retombai dans le chagrin. Bien que le tableau à
horloge n'eût pas encore sonné, je me figurais que des
heures et des heures s'amoncelaient sur ma triste soli- 10
tude. Par moments, il me venait de la chambre voisine quelques éclats de la voix du monsieur; il suppli-
ait la dame en blanc, puis il semblait en colère contre
elle. C'était bien fait. Mais n'en finiraient-ils donc
jamais? Je m'aplatis le bout du nez contre les vitres, 15
je tirai des crins aux chaises, j'agrandis les trous du
papier de tenture, j'arrachai les franges des rideaux,
que sais-je? L'ennui est une terrible chose. Enfin,
n'y pouvant plus tenir, je m'avançai sans bruit jusqu'à
la porte qui donnait accès dans la chambre aux ma- 20
gots et je haussai le bras pour atteindre le bouton.
Je savais bien que je faisais une action indiscrète et
mauvaise; mais cela même me donnait une espèce
d'orgueil.

J'ouvris la porte et je trouvai la dame en blanc de- 25
bout contre la cheminée. Le monsieur, à genoux à
ses pieds, ouvrait de grands bras comme pour la
prendre. Il était plus rouge qu'une crête de coq; les
yeux lui sortaient de la tête. Peut-on se mettre dans
un état pareil!   30

Il se releva vite en me voyant, et je crois bien qu'il

eut un moment l'idée de me jeter par la fenêtre. Mais
elle, au lieu de me gronder comme je m'y attendais,
me serra dans ses bras en m'appelant son chéri.

M'ayant emporté sur le canapé, elle pleura long-
5 temps et doucement sur ma joue.   Nous étions seuls.
Je lui dis, pour la consoler, que le monsieur aux favoris
était un vilain homme et qu'elle n'aurait pas de chagrin si elle était restée seule avec moi, comme c'était
convenu.   Mais, c'est égal, je trouvai que les grandes
10 personnes étaient quelquefois bien drôles.

A peine étions-nous remis, que la dame en noir
entra avec des paquets.

Elle demanda s'il n'était venu personne.

— M. Arnould est venu, répondit tranquillement la
15 dame en blanc; mais il n'est resté qu'une seconde.

Pour cela, je savais bien que c'était un mensonge;
mais le bon génie de la dame en blanc, qui sans doute
était avec moi depuis quelques instants, me mit son
doigt invisible sur la bouche.

20 Je ne revis plus M. Arnould, et mes amours avec la
dame en blanc ne furent plus troublées; c'est pourquoi, sans doute, je n'en ai pas gardé le souvenir.
Hier encore, c'est-à-dire après plus de trente ans, je
ne savais pas ce qu'elle était devenue.

25 Hier, j'allai au bal du ministre des Affaires étrangères.   Je suis de l'avis de lord Palmerston, qui disait
que la vie serait supportable sans les plaisirs.   Mon
travail quotidien n'excède ni mes forces, ni mon intelligence, et j'ai pu parvenir à m'y intéresser.   Ce
30 sont les réceptions officielles qui m'accablent.   Je
savais qu'il serait fastidieux et inutile d'aller au bal

du ministre; je le savais et j'y allai, parce qu'il est
dans la nature humaine de penser sagement et d'agir
d'une façon absurde.

A peine étais-je entré dans le grand salon, qu'on
annonça l'ambassadeur de * * * et madame * * *. J'a- 5
vais rencontré plusieurs fois l'ambassadeur, dont la
figure fine porte l'empreinte de fatigues qui ne sont
point toutes dues aux travaux de la diplomatie. Il
eut, dit-on, une jeunesse orageuse. Son séjour au
Japon, il y a trente ans, est particulièrement riche en 10
aventures qu'on aime à conter à huis clos en prenant
le café. Sa femme, que je n'avais pas l'honneur de
connaître, me sembla passer la cinquantaine. Elle
était tout en noir; de magnifiques dentelles enveloppaient admirablement sa beauté passée, dont l'ombre 15
s'entrevoyait encore. Je fus heureux de lui être pré-
senté; car j'estime infiniment la conversation des
femmes âgées. Nous causâmes de mille choses, au
son des violons qui faisaient danser les jeunes femmes,
et elle en vint à me parler par hasard du temps où 20
elle logeait dans un vieil hôtel du quai Malaquais.

—Vous étiez la dame en blanc! m'écriai-je.

—En effet, monsieur, me dit-elle; je m'habillais
toujours en blanc.

—Et moi, madame, j'étais votre petit mari. 25

—Quoi! monsieur, vous êtes le fils de cet excellent
docteur Nozière? Vous aimiez beaucoup les gâteaux.
Les aimez-vous encore? Venez donc en manger chez
nous. Nous avons tous les samedis un petit thé intime. Comme on se retrouve! 30

—Et la dame en noir?

—C'est moi qui suis aujourd'hui la dame en noir.
Ma pauvre tante est morte l'année de la guerre. Dans
les derniers temps de sa vie, elle parlait souvent de
vous.

5   Tandis que nous causions ainsi, un monsieur à
moustache et à favoris blancs salua respectueusement
l'ambassadrice, avec toutes les grâces raides d'un
vieux beau. Il me semblait bien reconnaître son
menton.

10   —M. Arnould, me dit-elle, un vieil ami.

III

JE TE DONNE CETTE ROSE

ᴎous habitions un grand appartement plein de choses étranges. Il y avait sur les murs des trophées d'armes sauvages surmontés de crânes et de chevelures; des pirogues avec leurs pagaies étaient suspendues aux plafonds, côte à côte avec des alligators 5 empaillés; les vitrines contenaient des oiseaux, des nids, des branches de corail et une infinité de petits squelettes qui semblaient pleins de rancune et de malveillance. Je ne savais quel pacte mon père avait fait avec ces créatures monstrueuses, je le sais main- 10 tenant: c'était le pacte du collectionneur. Lui, si sage et si désintéressé, il rêvait de fourrer la nature entière dans une armoire. C'était dans l'intérêt de la science; il le disait, il le croyait; en fait, c'était par manie de collectionneur. 15

Tout l'appartement était rempli de curiosités naturelles. Seul, le petit salon n'avait été envahi ni par la zoologie, ni par la minéralogie, ni par l'ethnographie, ni par la tératologie; là, ni écailles de serpents, ni carapaces de tortues, point d'ossements, point de 20 flèches de silex, point de tomahawks, seulement des roses. Le papier du petit salon en était semé. C'étaient des roses en bouton, petites, modestes, toutes pareilles et toutes jolies.

Ma mère, qui avait des griefs sérieux contre la zo- 25

ologie comparée et la mensuration des crânes, passait
sa journée dans le petit salon, devant sa table à ouvrage. Je jouais à ses pieds sur le tapis, avec un
mouton qui n'avait que trois pieds, après en avoir eu
5 quatre, en quoi il était indigne de figurer avec les
lapins à deux têtes dans la collection tératologique de
mon père; j'avais aussi un polichinelle qui remuait
les bras et sentait la peinture: il fallait que j'eusse en
ce temps-là beaucoup d'imagination, car ce polichi-
10 nelle et ce mouton me représentaient les personnages
divers de mille drames curieux. Quand il arrivait
quelque chose de tout à fait intéressant au mouton ou
au polichinelle, j'en faisais part à ma mère; mais il
est à remarquer que les grandes personnes ne com-
15 prennent jamais bien ce qu'expliquent les petits enfants. Ma mère était distraite. Elle ne m'écoutait
pas avec assez d'attention. C'était son grand défaut.
Mais elle avait une façon de me regarder avec ses
grands yeux et de m'appeler «petit bêta,» qui rac-
20 commodait les choses.

Un jour, dans le petit salon, laissant sa broderie,
elle me souleva dans ses bras; puis, me montrant une
des fleurs du papier, elle me dit:

— Je te donne cette rose.

25 Et, pour la reconnaître, elle la marqua d'une croix
avec son poinçon à broder.

Jamais présent ne me rendit plus heureux.

IV

LES ENFANTS D'ÉDOUARD

— Il a l'air d'un brigand, mon petit garçon, avec ses cheveux ébouriffés! Coiffez-le «aux enfants d'Édouard,» monsieur Valence.

M. Valence, à qui ma mère parlait de la sorte, était un vieux perruquier agile et boiteux, dont la seule vue me rappelait une odeur écœurante de fers chauds, et que je redoutais, tant à cause de ses mains grasses de pommade que parce qu'il ne pouvait me couper les cheveux sans m'en laisser tomber dans le cou. Aussi, quand il me passait un peignoir blanc et qu'il me nouait une serviette autour du cou, je résistais, et il me disait:

— Tu ne veux pourtant pas, mon petit ami, rester avec une chevelure de sauvage, comme si tu sortais du radeau de *la Méduse.*

Il racontait à tout propos, de sa voix vibrante de Méridional, le naufrage de *la Méduse,* dont il n'avait échappé qu'après d'effroyables misères. Le radeau, les inutiles signaux de détresse, les repas de chair humaine, il disait tout cela avec la belle humeur de quelqu'un qui prend les choses par leur bon côté; car c'était un homme jovial, M. Valence!

Ce jour-là, il m'accommoda trop lentement la tête à mon gré, et d'une façon que je jugeai bien étrange dès que je pus me regarder dans la glace. Je me vis

alors les cheveux rabattus et taillés droit comme un
bonnet au-dessus des sourcils et tombant sur les joues
comme des oreilles d'épagneul.

Ma mère était ravie: Valence m'avait véritable-
5 ment coiffé aux enfants d'Édouard. Vêtu comme je
l'étais d'une blouse de velours noir, on n'avait plus,
disait-elle, qu'à m'enfermer dans la tour avec mon
frère aîné. . . .

— Si l'on ose! ajouta-t-elle en me soulevant dans
10 ses bras avec une crânerie charmante.

Et elle me porta, étroitement embrassé, jusqu'à la
voiture. Car nous allions en visite.

Je lui demandai quel était ce frère aîné que je ne
connaissais pas et cette tour qui me faisait peur.

15 Et ma mère, qui avait la divine patience et la simplicité joyeuse des âmes dont la seule affaire en ce
monde est d'aimer, me conta, dans un babil enfantin
et poétique, comment les deux enfants du roi Édouard,
qui étaient beaux et bons, furent arrachés à leur mère
20 et étouffés dans un cachot de la tour de Londres par
leur méchant oncle Richard.

Elle ajouta, s'inspirant selon toute apparence d'une
peinture à la mode, que le petit chien des enfants
aboya pour les avertir de l'approche des meurtriers.

25 Elle finit en disant que cette histoire était très an-
cienne, mais si touchante et si belle, qu'on ne cessait
d'en faire des peintures et de la représenter sur les
théâtres, et que tous les spectateurs pleuraient, et
qu'elle avait pleuré comme eux.

30 Je dis à maman qu'il fallait être bien méchant pour
la faire pleurer ainsi, elle et tout le monde.

Elle me répondit qu'il y fallait, au contraire, une grande âme et un beau talent, mais je ne la compris pas.   Je n'entendais rien alors à la volupté des larmes.

La voiture nous arrêta dans l'Ile Saint-Louis, devant une vieille maison que je ne connaissais pas.   Et nous montâmes un escalier de pierre, dont les marches usées et fendues me faisaient grise mine.

Au premier tournant, un petit chien se mit à japper. «C'est lui, pensai-je, c'est le chien des enfants d'Édouard.»   Et une peur subite, invincible, folle, s'empara de moi.   Évidemment, cet escalier, c'était celui de la tour, et, avec mes cheveux découpés en bonnet et ma blouse de velours, j'étais un enfant d'Édouard.   On allait me faire mourir.   Je ne voulais pas; je me cramponnai à la robe de ma mère en criant:

— Emmène-moi, emmène-moi!   Je ne veux pas monter dans l'escalier de la tour.

— Tais-toi donc, petit sot. . . .   Allons, allons, mon chéri, n'aie pas peur. . . .   Cet enfant est vraiment trop nerveux. . . .   Pierre, Pierre, mon petit bonhomme, sois raisonnable.

Mais, pendu à sa jupe, raidi, crispé, je n'entendais rien; je criais, je hurlais, j'étouffais.   Mes regards, pleins d'horreur, nageaient dans les ombres animées par la peur féconde.

A mes cris, une porte s'ouvrit sur le palier et il en sortit un vieux monsieur en qui, malgré mon épouvante et malgré son bonnet grec et sa robe de chambre, je reconnus mon ami Robin, Robin mon ami, qui m'apportait une fois la semaine des gâteaux secs dans la

coiffe de son chapeau.   C'était Robin lui-même; mais
je ne pouvais concevoir qu'il fût dans la tour, ne
sachant pas que la tour était une maison, et que,
cette maison étant vieille, il était naturel que ce vieux
5 monsieur y habitât.

Il ncus tendit les bras avec sa tabatière dans la
main gauche et une pincée de tabac entre le pouce et
l'index de la main droite.   C'était lui.

— Entrez donc, chère dame! ma femme va mieux;
10 elle sera enchantée de vous voir.   Mais maître Pierre,
à ce qu'il me semble, n'est pas très rassuré.   Est-ce
notre petite chienne qui lui fait peur? — Ici, Finette.

J'étais rassuré; je dis:

— Vous demeurez dans une vilaine tour, monsieur
15 Robin.

A ces mots, ma mère me pinça le bras dans l'intention, que je saisis fort bien, de m'empêcher de demander un gâteau à mon bon ami Robin, ce que
précisément j'allais faire.

20 Dans le salon jaune de M. et madame Robin, Finette
me fut d'un grand secours.   Je jouais avec elle, et
ceci me resta dans l'esprit, qu'elle avait aboyé aux
meurtriers des enfants d'Édouard.   C'est pourquoi je
partageai avec elle le gâteau que M. Robin me donna.
25 Mais on ne peut s'occuper longtemps du même objet,
surtout quand on est un petit enfant.   Mes pensées
sautèrent d'une chose à l'autre, comme des oiseaux de
branche en branche, puis se reposèrent de nouveau
sur les enfants d'Édouard.   M'étant fait à leur égard
30 une opinion, j'étais pressé de la produire.   Je tirai
M. Robin par la manche.

— Dis donc, monsieur Robin, vous savez, si maman avait été dans la tour de Londres, elle aurait empêché le méchant oncle d'étouffer les enfants d'Édouard sous leurs oreillers.

Il me sembla que M. Robin ne comprenait pas ma pensée dans toute sa force; mais, quand nous nous retrouvâmes seuls, maman et moi, dans l'escalier, elle m'éleva dans ses bras:

— Monstre! que je t'embrasse!

V

LA GRAPPE DE RAISIN

J'étais heureux, j'étais très heureux. Je me représentais mon père, ma mère et ma bonne, comme des géants très doux, témoins des premiers jours du monde, immuables, éternels, uniques dans leur espèce. J'avais la certitude qu'ils sauraient me garder de tout mal et j'éprouvais près d'eux une entière sécurité. La confiance que m'inspirait ma mère était quelque chose d'infini : quand je me rappelle cette divine, cette adorable confiance, je suis tenté d'envoyer des baisers au petit bonhomme que j'étais, et ceux qui savent combien il est difficile en ce monde de garder un sentiment dans sa plénitude comprendront un tel élan vers de tels souvenirs.

J'étais heureux. Mille choses, à la fois familières et mystérieuses, occupaient mon imagination, mille choses qui n'étaient rien en elles-mêmes, mais qui faisaient partie de ma vie. Elle était toute petite, ma vie ; mais c'était une vie, c'est-à-dire le centre des choses, le milieu du monde. Ne souriez pas à ce que je dis là, ou n'y souriez que par amitié et songez-y : quiconque vit, fût-il petit chien, est au milieu des choses.

J'étais heureux de voir et d'entendre. Ma mère n'entr'ouvrait pas son armoire à glace sans me faire éprouver une curiosité fine et pleine de poésie. Qu'y

avait-il donc, dans cette armoire ? Mon Dieu! ce
qu'il pouvait y avoir: du linge, des sachets d'odeur,
des cartons, des boîtes. Je soupçonne aujourd'hui
ma pauvre mère d'un faible pour les boîtes. Elle en
avait de toute sorte et en prodigieuse quantité. Et 5
ces boîtes, qu'il m'était interdit de toucher, m'inspi-
raient de profondes méditations. Mes jouets aussi faisaient travailler ma petite tête; du moins, les jouets
qu'on me promettait, et que j'attendais; car ceux que
je possédais n'avaient pour moi plus de mystère, par- 10
tant plus de charme. Mais qu'ils étaient beaux, les
joujoux de mes rêves! Un autre miracle, c'était la
quantité de traits et de figures qu'on peut tirer d'un
crayon ou d'une plume. Je dessinais des soldats; je
faisais une tête ovale et je mettais un shako au-dessus. 15
Ce n'est qu'après de nombreuses observations que je
fis entrer la tête dans le shako jusqu'aux sourcils.
J'étais sensible aux fleurs, aux parfums, au luxe de la
table, aux beaux vêtements. Ma toque à plumes et
mes bas chinés me donnaient quelque orgueil. Mais 20
ce que j'aimais plus que chaque chose en particulier,
c'était l'ensemble des choses: la maison, l'air, la lumière, que sais-je? la vie enfin! Une grande douceur
m'enveloppait. Jamais petit oiseau ne se frotta plus
délicieusement au duvet de son nid. 25

J'étais heureux, j'étais très heureux. Pourtant,
j'enviais un autre enfant. Il se nommait Alphonse.
Je ne lui connaissais pas d'autre nom, et il est fort
possible qu'il n'eût que celui-là. Sa mère était blanchisseuse et travaillait en ville. Alphonse vaguait 30
tout le long de la journée dans la cour ou sur le quai,

et j'observais de ma fenêtre son visage barbouillé,
sa tignasse jaune, sa culotte sans fond et ses savates,
qu'il traînait dans les ruisseaux. J'aurais bien voulu,
moi aussi, marcher en liberté dans les ruisseaux. Al-
5 phonse hantait les cuisinières et gagnait près d'elles
force gifles et quelques vieilles croûtes de pâté. Parfois les palefreniers l'envoyaient puiser à la pompe un
seau d'eau qu'il rapportait fièrement, avec une face
cramoisie et la langue hors de la bouche. Et je l'en-
10 viais. Il n'avait pas comme moi des fables de La
Fontaine à apprendre; il ne craignait pas d'être gron-
dé pour une tache à sa blouse, lui! Il n'était pas
tenu de dire *bonjour, monsieur! bonjour, madame!* à
des personnes dont les jours et les soirs, bons ou mau-
15 vais, ne l'intéressaient pas du tout; et, s'il n'avait pas
comme moi une arche de Noé et un cheval à mécanique, il jouait à sa fantaisie avec les moineaux qu'il
attrapait, les chiens errants comme lui, et même les
chevaux de l'écurie, jusqu'à ce que le cocher l'envoyât
20 dehors au bout d'un balai. Il était libre et hardi.
De la cour, son domaine, il me regardait à ma fenêtre
comme on regarde un oiseau en cage.

Cette cour était gaie à cause des bêtes de toute
espèce et des gens de service qui la fréquentaient.
25 Elle était grande; le corps de logis qui la fermait au
milieu était tapissé d'une vieille vigne noueuse et
maigre, au-dessus de laquelle était un cadran solaire
dont le soleil et la pluie avaient effacé les chiffres, et
cette aiguille d'ombre qui coulait insensiblement sur
30 la pierre m'étonnait. De tous les fantômes que j'é-
voque, celui de cette vieille cour est un des plus

étranges pour les Parisiens d'aujourd'hui. Leurs cours
ont quatre mètres carrés: on peut y voir un morceau
du ciel, grand comme un mouchoir, par-dessus cinq
étages de garde-manger en surplomb. C'est là un
progrès, mais il est malsain.   5

Il advint un jour que cette cour si gaie, où les mé-
nagères venaient le matin emplir leur cruche à la
pompe et où les cuisinières secouaient, vers six heures,
leur salade dans un panier de laiton, en échangeant
des propos avec les palefreniers, il advint que cette 10
cour fut dépavée. On ne la dépavait que pour la repaver; mais, comme il avait plu pendant les travaux,
elle était fort boueuse, et Alphonse, qui y vivait
comme un satyre dans son bois, était, de la tête aux
pieds, de la couleur du sol. Il remuait les pavés avec 15
une joyeuse ardeur. Puis, levant la tête et me voyant
muré là-haut, il me fit signe de venir. J'avais bien
envie de jouer avec lui à remuer des pavés. Je n'avais
pas de pavés à remuer dans ma chambre, moi. Il se
trouva que la porte de l'appartement était ouverte. 20
Je descendis dans la cour.

— Me voilà, dis-je à Alphonse.

— Porte ce pavé, me dit-il.

Il avait l'air sauvage et la voix rauque, j'obéis.
Tout à coup le pavé me fut arraché des mains et je 25
me sentis enlevé de terre. C'était ma bonne qui
m'emportait, indignée. Elle me lava au savon de
Marseille et me fit honte de jouer avec un polisson,
un rôdeur, un vaurien.

— Alphonse, ajouta ma mère, Alphonse est mal 30
élevé; ce n'est pas sa faute, c'est son malheur: mais

les enfants bien élevés ne doivent pas fréquenter ceux
qui ne le sont pas.

J'étais un petit enfant très intelligent et très réfléchi.   Je retins les paroles de ma mère et elles s'as-
5 socièrent, je ne sais comment, à ce que j'appris des
enfants maudits en me faisant expliquer ma vieille
Bible en estampes.   Mes sentiments pour Alphonse
changèrent tout à fait.   Je ne l'enviai plus; non.   Il
m'inspira un mélange de terreur et de pitié.   «Ce
10 n'est pas sa faute, c'est son malheur.»   Cette parole
de ma mère me troublait pour lui.   Vous fîtes bien,
maman, de me parler ainsi; vous fîtes bien de me
révéler dès l'âge le plus tendre l'innocence des misérables.   Votre parole était bonne; c'était à moi à la
15 garder présente dans la suite de ma vie.

Pour cette fois du moins, elle eut son effet et je
m'attendris sur le sort de l'enfant maudit.   Un jour,
tandis qu'il tourmentait dans la cour le perroquet
d'une vieille locataire, je contemplai ce Caïn sombre
20 et puissant, avec toute la componction d'un bon
petit Abel.   C'est le bonheur, hélas! qui fait les
Abel.   Je m'ingéniai à donner à l'autre un témoignage de ma pitié.   Je songeai à lui envoyer un
baiser; mais son visage farouche me parut peu pro-
25 pre à le recevoir et mon cœur se refusa à ce don.   Je
cherchai longtemps ce que je pourrais bien donner:
mon embarras était grand.   Donner à Alphonse mon
cheval à mécanique, qui précisément n'avait plus ni
queue ni crinière, me parut toutefois excessif.   Et
30 puis, est-ce bien par le don d'un cheval qu'on marque
sa pitié?   Il fallait un présent convenable à un mau-

dit. Une fleur peut-être ? Il y avait des bouquets
dans le salon. Mais une fleur, cela ressemble à un
baiser. Je doutais qu'Alphonse aimât les fleurs. Je
fis, dans une grande perplexité, le tour de la salle à
manger. Tout à coup, je frappai joyeusement dans   5
mes mains : j'avais trouvé !

Il y avait sur le buffet, dans une coupe, de magnifiques raisins de Fontainebleau. Je montai sur une
chaise et pris de ces raisins une grappe longue et
pesante qui remplissait la coupe aux trois quarts.   10
Les grains d'un vert pâle étaient dorés d'un côté et
l'on devait croire qu'ils fondraient délicieusement
dans la bouche : pourtant je n'y goûtai pas. Je
courus chercher un peloton de fil dans la table à ouvrage de ma mère. Il m'était interdit d'y rien pren-   15
dre ; mais il faut savoir désobéir. J'attachai la
grappe au bout d'un fil, et, me penchant sur la barre
de la fenêtre, j'appelai Alphonse et fis descendre lentement la grappe dans la cour. Pour la mieux voir,
l'enfant maudit écarta de ses yeux les mèches de ses   20
cheveux jaunes, et, quand elle fut à portée de son
bras, il l'arracha avec le fil ; puis, relevant la tête, il
me tira la langue, me fit un pied de nez et s'enfuit
avec la grappe. Mes petits amis ne m'avaient pas
accoutumé à ces façons. J'en fus d'abord très irrité.   25
Mais une considération me calma. « J'ai bien fait.
pensai-je, de n'envoyer ni une fleur ni un baiser. »

Ma rancune s'évanouit à cette pensée, tant il est
vrai que quand l'amour-propre est satisfait, le reste
importe peu.   30

Toutefois, à l'idée qu'il faudrait confesser mon

aventure à ma mère, je tombai dans un grand abattement.   J'avais tort; ma mère me gronda, mais avec
de la gaieté : je le vis à ses yeux qui riaient.

— Il faut donner son bien, et non celui des autres,
5 me dit-elle, et il faut savoir donner.

— C'est le secret du bonheur, et peu le savent,
ajouta mon père.

Il le savait, lui !

VI

MARCELLE AUX YEUX D'OR

J'avais cinq ans et je me faisais du monde une
idée que j'ai dû changer depuis ; c'est dommage, elle
était charmante.   Un jour, tandis que j'étais occupé
à dessiner des bonshommes, ma mère m'appela sans
songer qu'elle me dérangeait.   Les mères ont de ces   5
étourderies.

Cette fois, il s'agissait de me faire ma toilette.   Je
n'en sentais pas la nécessité et j'en voyais le désagrément, je résistais, je faisais des grimaces ; j'étais in
supportable.   10

Ma mère me dit :

— Ta marraine va venir : ce serait joli si tu n'étais
pas habillé !

Ma marraine ! je ne l'avais pas encore vue ; je ne
la connaissais pas du tout.   Je ne savais même pas 15
qu'elle existât.   Mais je savais très bien ce que c'est
qu'une marraine : je l'avais lu dans les contes et vu
dans les images ; je savais qu'une marraine est une
fée.

Je me laissai peigner et savonner tant qu'il plut à 20
ma chère maman.   Je songeais à ma marraine avec
une extrême curiosité de la connaître.   Mais, bien
que grand questionneur d'ordinaire, je ne demandai
rien de tout ce que je brûlais de savoir.

— Pourquoi ?   25

—Vous me demandez pourquoi? Ah! c'est que je n'osais; c'est que les fées, telles que je les comprenais, voulaient le silence et le mystère; c'est qu'il est dans les sentiments un vague si précieux, que l'âme la plus neuve en ce monde est, par instinct, jalouse de le garder; c'est qu'il existe, pour l'enfant comme pour l'homme, des choses ineffables; c'est que, sans l'avoir connue, j'aimais ma marraine.

Je vais bien vous surprendre, mais la vérité a parfois heureusement quelque chose d'imprévu, qui la rend supportable. . . . Ma marraine était belle à souhait. Quand je la vis, je la reconnus. C'était bien celle que j'attendais, c'était ma fée. Je la contemplais sans surprise, ravi. Pour cette fois, et par extraordinaire, la nature égalait les rêves de beauté d'un petit enfant.

Ma marraine me regarda: elle avait des yeux d'or. Elle me sourit et je lui vis des dents aussi petites que les miennes. Elle parla: sa voix était claire et chantait comme une source dans les bois. Elle me baisa, ses lèvres étaient fraîches: je les sens encore sur ma joue.

Je goûtai à la voir une infinie douceur, et il fallait, paraît-il, que cette rencontre fût charmante de tout point; car le souvenir qui m'en reste est dégagé de tout détail qui l'eût gâté. Il a pris une simplicité lumineuse. C'est la bouche entr'ouverte pour un sourire et pour un baiser, debout, les bras ouverts, que m'apparaît invariablement ma marraine.

Elle me souleva de terre et me dit:

—Trésor, laisse-moi voir la couleur de tes yeux.

Puis, agitant les boucles de ma chevelure:

— Il est blond, mais il deviendra brun.

Ma fée connaissait l'avenir. Pourtant ses prédic-
tions indulgentes ne l'annonçaient pas tout entier.
Mes cheveux, aujourd'hui, ne sont plus ni blonds ni
noirs.

Elle m'envoya, le lendemain, des joujoux qui ne me
parurent pas faits pour moi. Je vivais avec mes livres, mes images, mon pot de colle, mes boîtes de couleur et tout mon attirail de petit garçon intelligent et
chétif, déjà sédentaire, qui s'initiait naïvement par
ses jouets à ce sentiment des formes et des couleurs,
cause de tant de douleurs et de joies.

Les présents choisis par ma marraine n'entraient
pas dans ces mœurs. C'était un mobilier complet de
sport-boy et de petit gymnaste: trapèze, cordes,
barres, poids, haltères, tout ce qu'il faut pour exercer
la force d'un enfant et préparer la grâce virile.

Par malheur, j'avais déjà le pli du bureau, le goût
des découpures faites patiemment le soir à la lampe,
le sens profond des images, et, quand je sortais de
mes amusements d'artiste prédestiné, c'était par des
coups de folie, par une rage de désordre, pour jouer
éperdument à des jeux sans règle, sans rythme, au
voleur, au naufrage, à l'incendie. Tous ces appareils
de buis verni et de fer me parurent froids, lourds,
sans caprice et sans âme, jusqu'à ce que ma marraine
y eût mis, en m'en enseignant l'usage, un peu de son
charme. Elle soulevait les haltères avec beaucoup de
crânerie, et, portant les coudes en arrière, elle me
montrait comment les barres, passées sur le dos et
sous les bras, développent la poitrine.

Un jour, elle me prit sur ses genoux et me promit
un bateau, un bateau avec tous ses gréements, toutes
ses voiles et des canons aux sabords.   Ma marraine
parlait marine comme un loup de mer.   Elle n'oubli-
5 ait ni hune, ni dunette, ni haubans, ni perroquet, ni
cacatois.   Elle n'en finissait point avec ces mots
étranges et elle mettait comme de l'amitié à les dire.
Ils lui rappelaient sans doute bien des choses.   Une
fée, cela va sur les eaux.

10   Je ne l'ai pas reçu, ce bateau.   Mais je n'ai jamais
eu besoin, même en bas âge, de posséder les choses
pour en jouir, et le bateau de la fée m'a occupé bien
des heures.   Je le voyais.   Je le vois encore.   Ce
n'est plus un jouet.   C'est un fantôme.   Il coule en
15 silence sur une mer brumeuse, et j'aperçois à son
bord une femme immobile, les bras inertes, les yeux
grands et vides.

Je ne devais plus revoir ma marraine.

J'avais dès lors une idée juste de son caractère.   Je
20 sentais qu'elle était née pour plaire et pour aimer,
que c'était là son affaire en ce monde.   Je ne me
trompais pas, hélas! J'ai su depuis que Marcelle (elle
se nommait Marcelle) n'a jamais fait que cela.

C'est bien des années plus tard que j'appris quel-
25 que chose de sa vie.   Marcelle et ma mère s'étaient
connues au couvent.   Mais ma mère, plus âgée de
quelques années, était trop sage et trop mesurée pour
devenir la compagne assidue de Marcelle, qui mettait
dans ses amitiés une ardeur extraordinaire et une
30 sorte de folie.   La jeune pensionnaire qui inspira à
Marcelle les sentiments les plus extravagants, était la

fille d'un négociant, une grosse personne calme, moqueuse et bornée.   Marcelle ne la quittait pas des
yeux, fondait en larmes pour un mot, pour un geste
de son amie, l'accablait de serments, lui faisait toutes
les heures des scènes de jalousie, et lui écrivait à 5
l'étude des lettres de vingt pages, tant qu'enfin la
grosse fille, impatientée, déclara qu'il y en avait assez
et qu'elle voulait être tranquille.

La pauvre Marcelle se retira si abattue et si triste,
qu'elle fit pitié à ma mère.   C'est alors que commen- 10
ça leur liaison, peu de temps avant que ma mère sor-
tît du couvent.   Elles promirent de se rendre visite
et tinrent parole.

Marcelle avait pour père le meilleur homme du
monde, charmant, avec bien de l'esprit et pas le sens 15
commun.   Il quitta la marine, sans motif, après vingt
ans de navigation.   On s'en étonnait.   Il fallait s'é-
tonner qu'il fût resté si longtemps au service.   Sa fortune était médiocre et son économie détestable.

Regardant par sa fenêtre, un jour de pluie, il vit sa 20
femme et sa fille à pied, fort embarrassées de leurs
jupes et de leur en-tout-cas.   Il s'aperçut pour la première fois qu'elles n'avaient point voiture, et cette
découverte le chagrina beaucoup.   Sur-le-champ il
réalisa ses valeurs, vendit les bijoux de sa femme, 25
emprunta de l'argent à divers amis et courut à Bade.
Comme il avait une martingale infaillible, il joua gros
jeu à l'effet de gagner chevaux, carrosse et livrée.
Au bout de huit jours, il rentra chez lui sans un sou,
et croyant plus que jamais à sa martingale.   30

Il lui restait une petite terre dans la Brie, où il éle-

va des ananas. Après un an de cette culture, il dut
vendre le fonds pour payer les serres. Alors il se
jeta dans des inventions de machines, et sa femme
mourut sans qu'il y prît garde. Il envoyait aux mi-
5 nistres, aux Chambres, à l'Institut, aux sociétés sa-
vantes, à tout le monde, des plans et des mémoires.
Ces mémoires étaient quelquefois rédigés en vers.
Pourtant il se faisait quelque argent, il vivait. C'é-
tait miraculeux. Marcelle trouvait cela simple, et
10 achetait des chapeaux avec toutes les pièces de cent
sous qui lui tombaient sous la main.

Pour jeune fille qu'elle était alors, ma mère ne
comprenait pas la vie de cette façon, et Marcelle la
faisait trembler. Mais elle aimait Marcelle.

15 — Si tu savais, m'a dit cent fois ma mère, si tu
savais comme elle était charmante alors!

— Ah! chère maman, je l'imagine bien.

Il y eut pourtant une brouille entre elles, et la cause en fut un sentiment délicat qu'il ne faudrait point
20 laisser dans l'ombre où l'on cache les fautes de ceux
qui nous sont chers, mais que je ne dois pas analyser,
moi, comme tout autre pourrait le faire. Je ne le
dois pas, dis-je, et ne le puis non plus, n'ayant sur ce
sujet que des indices extrêmement vagues. Ma mère
25 était alors fiancée à un jeune médecin qui l'épousa
peu après et devint mon père. Marcelle était charmante; on vous l'a dit assez. Elle inspirait et respi-
rait l'amour. Mon père était jeune. Ils se voyaient,
se parlaient. Que sais-je encore?... Ma mère se
30 maria et ne revit plus Marcelle.

Mais, après deux ans d'exil, la belle aux yeux d'or

eut son pardon. Elle l'eut si bien qu'on la pria d'être
ma marraine. Dans l'intervalle, elle s'était mariée.
Cela, je pense avait beaucoup aidé au raccommodement. Marcelle adorait son mari, un monstre de
petit moricaud qui naviguait depuis l'âge de sept ans 5
sur un navire de commerce, et que je soupçonne véhémentement d'avoir fait la traite des noirs. Comme
il possédait des biens à Rio-de-Janeiro, il y emmena
ma marraine.

Ma mère m'a dit souvent: 10

—Tu ne peux te figurer ce qu'était le mari de
Marcelle: un magot, un singe, un singe habillé de
jaune des pieds à la tête. Il ne parlait aucune langue. Il savait seulement un peu de toutes, et s'exprimait par des cris, des gestes et des roulements d'yeux. 15
Pour être juste, il avait des yeux superbes. Et ne
crois pas, mon enfant, qu'il fût des Iles, ajoutait ma
mère; il était Français. natif de Brest, et se nommait
Dupont.

Il faut vous apprendre, en passant, que ma mère 20
disait «les Iles» pour tout ce qui n'est pas l'Europe;
et cela désespérait mon père, auteur de divers travaux
d'ethnographie comparée.

—Marcelle, poursuivait ma mère, Marcelle était
folle de son mari. Dans les premiers temps, on avait 25
toujours l'air de les gêner en allant les voir. Elle fut
heureuse pendant trois ou quatre ans; je dis heureuse
parce qu'il faut tenir compte des goûts. Mais, pendant le voyage qu'elle fit en France, . . . tu ne te rappel-
les pas, tu étais trop petit.   30

Oh! maman, je me rappelle parfaitement.

Eh bien ! pendant ce voyage, son moricaud prit là-
bas, dans les Iles, d'horribles habitudes : il s'enivrait
dans les cabarets de matelots.   Il reçut un coup de
couteau.   Au premier avis qu'elle en eut, Marcelle
5 s'embarqua.   Elle soigna son mari avec cette ardeur
superbe qu'elle mettait à tout.   Mais il eut un vomissement de sang et mourut. . . . .

Voilà ce que m'a conté ma mère.   Je n'en sais pas
davantage.   Mais, chaque fois que le ciel est d'un
10 gris tendre et que le vent a des plaintes douces, ma
pensée s'envole vers Marcelle et je lui dis :

— Pauvre âme en peine, pauvre âme errant sur l'antique océan qui berça les premières amours de la terre,
cher fantôme, ô ma marraine et ma fée, sois bénie par
15 le plus fidèle de tes amoureux, par le seul, peut-être,
qui se souvienne encore de toi ! Sois bénie pour le don
que tu mis sur mon berceau en t'y penchant seulement ;
sois bénie pour m'avoir révélé, quand je naissais à
peine à la pensée, les tourments délicieux que la beauté
20 donne aux âmes avides de la comprendre ; sois bénie
par celui qui fut l'enfant que tu soulevas de terre pour
chercher la couleur de ses yeux ! Il fut, cet enfant, le
plus heureux, et, j'ose dire, le meilleur de tes amis.
C'est à lui que tu donnas le plus, ô généreuse femme !
25 car tu lui ouvris, avec tes deux bras, le monde infini
des rêves.

VII

NOTE ÉCRITE A L'AUBE.

Voilà la moisson d'une nuit d'hiver, ma première gerbe de souvenirs. La laisserai-je aller au vent ? Ne vaut-il pas mieux la lier et la porter à la grange ? Elle sera, je crois, une bonne nourriture pour les esprits.

Le meilleur et le plus savant des hommes, M. Littré, aurait voulu que chaque famille eût ses archives et son histoire morale. « Depuis, a-t-il dit, qu'une bonne philosophie m'a enseigné à estimer grandement la tradition et la conservation, j'ai bien des fois regretté que, durant le moyen âge, des familles bourgeoises n'aient pas songé à former de modestes registres où seraient consignés les principaux incidents de la vie domestique, et qu'on se transmettrait tant que la famille durerait. Combien curieux seraient ceux de ces registres qui auraient atteint notre époque, quelque succinctes qu'en fussent les notices ! Que de notions et d'expériences perdues, qui auraient été sauvées par un peu de soin et d'esprit de suite ! »

Eh bien, je réaliserai pour ma part le désir du sage vieillard : ceci sera gardé et commencera le registre de la famille Nozière. Ne perdons rien du passé. Ce n'est qu'avec le passé qu'on fait l'avenir.

NOUVELLES AMOURS

I

L'ERMITAGE DU JARDIN DES PLANTES

Je ne savais pas lire, je portais des culottes fendues, je pleurais quand ma bonne me mouchait et j'étais dévoré par l'amour de la gloire. Telle est la vérité : dans l'âge le plus tendre, je nourrissais le désir de 5 m'illustrer sans retard et de durer dans la mémoire des hommes. J'en cherchais les moyens tout en déployant mes soldats de plomb sur la table de la salle à manger. Si j'avais pu, je serais allé conquérir l'immortalité dans les champs de bataille et je serais de- 10 venu semblable à quelqu'un de ces généraux que j'agitais dans mes petites mains et à qui je dispensais la fortune des armes sur une toile cirée.

Mais il n'était pas en moi d'avoir un cheval, un uniforme, un régiment et des ennemis, toutes choses 15 essentielles à la gloire militaire. C'est pourquoi je pensai devenir un saint. Cela exige moins d'appareil et rapporte beaucoup de louanges. Ma mère était pieuse. Sa piété — comme elle aimable et sérieuse — me touchait beaucoup. Ma mère me lisait souvent la 20 *Vie des Saints*, que j'écoutais avec délices et qui remplissait mon âme de surprise et d'amour. Je savais

36

donc comment les hommes du Seigneur s'y prenaient
pour rendre leur vie précieuse et pleine de mérites.
Je savais quelle céleste odeur répandent les roses du
martyre. Mais le martyre est une extrémité à laquelle
je ne m'arrêtai pas. Je ne songeai pas non plus à   5
l'apostolat et à la prédication, qui n'étaient guère dans
mes moyens. je m'en tins aux austérités, comme
étant d'un usage facile et sûr.

Pour m'y livrer sans perdre de temps, je refusai de
déjeuner. Ma mère, qui n'entendait rien à ma nou-   10
velle vocation, me crut souffrant et me regarda avec
une inquiétude qui me fit de la peine. Je n'en jeûnai
pas moins. Puis, me rappelant saint Siméon Stylite,
qui vécut sur une colonne, je montai sur la fontaine
de la cuisine; mais je ne pus y vivre, car Julie, notre   15
bonne, m'en délogea promptement. Descendu de ma
fontaine, je m'élançai avec ardeur dans le chemin de
la perfection et résolus d'imiter saint Nicolas de
Patras, qui distribua ses richesses aux pauvres. La
fenêtre du cabinet de mon père donnait sur le quai.   20
Je jetai par cette fenêtre une douzaine de sous qu'on
m'avait donnés parce qu'ils étaient neufs et qu'ils
reluisaient; je jetai ensuite des billes et des toupies
et mon sabot avec son fouet de peau d'anguille.

— Cet enfant est stupide! s'écria mon père en   25
fermant la fenêtre.

J'éprouvai de la colère et de la honte à m'entendre
juger ainsi. Mais je considérai que mon père, n'étant
pas saint comme moi, ne partagerait pas avec moi la
gloire des bienheureux, et cette pensée me fut une   30
grande consolation.

Quand vint l'heure de m'aller promener, on m'a
mit mon chapeau; j'en arrachai la plume, à l'exemple
du bienheureux Labre, qui, lorsqu'on lui donnait un
vieux bonnet tout crasseux, avait soin de le traîner
5 dans la fange avant de le mettre sur sa tête. Ma mère,
en apprenant l'aventure des richesses et celle du
chapeau, haussa les épaules et poussa un gros soupir.
Je l'affligeais vraiment.

Pendant la promenade, je tins les yeux baissés pour
10 ne pas me laisser distraire par les objets extérieurs,
me conformant ainsi à un précepte souvent donné
dans la *Vie des Saints*.

C'est au retour de cette promenade salutaire que,
pour achever ma sainteté, je me fis un cilice en me
15 fourrant dans le dos le crin d'un vieux fauteuil. J'en
éprouvai de nouvelles tribulations, car Julie me sur-
prit au moment où j'imitais ainsi les fils de saint
François. S'arrêtant à l'apparence sans pénétrer
l'esprit, elle vit que j'avais crevé un fauteuil et me
20 fessa par simplicité.

En réfléchissant aux pénibles incidents de cette
journée, je reconnus qu'il est bien difficile de pratiquer la sainteté dans la famille. Je compris pourquoi
les saints Antoine et Jérôme s'en étaient allés au
25 désert parmi les lions et les ægipans; et je résolus de
me retirer dès le lendemain dans un ermitage. Je
choisis, pour m'y cacher, le labyrinthe du Jardin des
plantes. C'est là que je voulais vivre dans la contemplation, vêtu, comme saint Paul l'Ermite, d'une
30 robe de feuilles de palmier. Je pensais: Il y aura
dans ce jardin des racines pour ma nourriture. On

y découvre une cabane au sommet d'une montagne.
Là, je serai au milieu de toutes les bêtes de la création;
le lion qui creusa de ses ongles la tombe de sainte
Marie l'Égyptienne viendra sans doute me chercher
pour rendre les devoirs de la sépulture à quelque   5
solitaire des environs.   Je verrai, comme saint
Antoine, l'homme aux pieds de bouc et le cheval au
buste d'homme.   Et peut-être que les anges me soulè-
veront de terre en chantant des cantiques. »

Ma résolution paraîtra moins étrange quand on   10
saura que, depuis longtemps, le Jardin des Plantes
était pour moi un lieu saint, assez semblable au Paradis terrestre, que je voyais figuré sur ma vieille Bible
en estampes.   Ma bonne m'y menait souvent et j'y
éprouvais un sentiment de sainte allégresse.   Le ciel 15
même m'y semblait plus spirituel et plus pur qu'ailleurs, et, dans les nuages qui passaient sur la volière
des aras, sur la cage du tigre, sur la fosse de l'ours et
sur la maison de l'éléphant, je voyais confusément
Dieu le Père avec sa barbe blanche et dans sa robe 20
bleue, le bras étendu pour me bénir avec l'antilope et
la gazelle, le lapin et la colombe; et, quand j'étais
assis sous le cèdre du Liban, je voyais descendre sur
ma tête, à travers les branches, les rayons que le
Père éternel laissait échapper de ses doigts.   Les 25
animaux qui mangeaient dans ma main en me regardant avec douceur me rappelaient ce que ma mère
m'enseignait d'Adam et des jours de l'innocence première.   La Création réunie là, comme jadis dans la
maison flottante du patriarche, se reflétait dans mes 30
yeux, toute parée de grâce enfantine.   Et rien ne me

gâtait mon Paradis. Je n'étais pas choqué d'y voir des bonnes, des militaires et des marchands de coco. Au contraire, je me sentais heureux près de ces humbles et de ces petits, moi le plus petit de tous.
5 Tout me semblait clair, aimable et bon, parce que, avec une candeur souveraine, je ramenais tout à mon idéal d'enfant.

Je m'endormis dans la résolution d'aller vivre au milieu de ce jardin pour acquérir des mérites et de-
10 venir l'égal des grands saints dont je me rappelais l'histoire fleurie.

Le lendemain matin, ma résolution était ferme en-core. J'en instruisis ma mère. Elle se mit à rire.

—Qui t'a donné l'idée de te faire ermite sur le
15 labyrinthe du Jardin des Plantes? me dit-elle en me peignant les cheveux et en continuant de rire.

—Je veux être célèbre, répondis-je, et mettre sur mes cartes de visite: «Ermite et saint du calendrier» comme papa met sur les siennes: «Lauréat de l'Aca-
20 démie de médecine et secrétaire de la Société d'anthro-pologie.»

À ce coup, ma mère laissa tomber le peigne qu'elle passait dans mes cheveux.

— Pierre! s'écria-t-elle, Pierre! quelle folie et quel
25 péché! Je suis bien malheureuse! Mon petit garçon a perdu la raison à l'âge où l'on n'en a pas encore.

Puis, se tournant vers mon père:

—Vous l'avez entendu, mon ami; à sept ans il veut être célèbre!

30 — Chère amie, répondit mon père, vous verrez qu'à vingt ans, il sera dégoûté de la gloire.

— Dieu le veuille! dit ma mère; je n'aime point les vaniteux.

Dieu l'a voulu et mon père ne se trompait pas.

Comme le roi d'Yvetot, je vis fort bien sans gloire et n'ai plus la moindre envie de graver le nom de Pierre Nozière dans la mémoire des hommes.

Toutefois, quand maintenant je me promène, avec mon cortège de souvenirs lointains, dans ce Jardin des Plantes, bien attristé et abandonné, il me prend une incompréhensible envie de conter aux amis inconnus le rêve que je fis jadis d'y vivre en anachorète. Comme si ce rêve d'un enfant pouvait, en se mêlant aux pensées d'autrui, y faire passer la douceur d'un sourire.

C'est aussi pour moi une question de savoir si vraiment j'ai bien fait de renoncer dès l'âge de six ans à la vie militaire; car le fait est que je n'ai pas songé depuis à être soldat. Je le regrette un peu. Il y a, sous les armes, une grande dignité de vie. Le devoir y est clair et d'autant mieux déterminé que ce n'est pas le raisonnement qui le détermine. L'homme qui peut raisonner ses actions découvre bientôt qu'il en est peu d'innocentes. Il faut être prêtre ou soldat pour ne pas connaître les angoisses du doute.

Quant au rêve d'être un solitaire, je l'ai refait toutes les fois que j'ai cru sentir que la vie était foncièrement mauvaise: c'est dire que je l'ai fait chaque jour. Mais, chaque jour, la nature me tira par l'oreille et me ramena aux amusements dans lesquels s'écoulent les humbles existences.

II

LE PÈRE LE BEAU

On trouve dans les *Mémoires de Henri Heine* des
portraits d'une réalité frappante, qu'enveloppe pourtant une sorte de poésie. Tel est le portrait de
Simon de Geldern, oncle du poète. «C'était, dit
5 Henri Heine, un original de l'extérieur le plus humble et aussi le plus bizarre, une petite figure placide,
un visage pâle et sévère, dont le nez avait une rectitude grecque, bien qu'il fût assurément d'un tiers
plus long que les Grecs n'avaient l'habitude de porter
10 leur nez ... Il allait toujours vêtu d'après une
mode surannée, portait des culottes courtes, des bas
de soie blancs, des souliers à boucle, et, selon l'an-
cienne coutume, une queue. Lorsque ce petit bonhomme trottait à pas menus à travers les rues, sa
15 queue sautillait d'une épaule sur l'autre, faisait des
cabrioles de toute sorte, et semblait se moquer de
son propre maître derrière son dos.»

Ce bonhomme avait l'âme la plus magnanime, et
sa petite redingote, terminée en queue de bergeron-
20 nette, enveloppait le dernier des chevaliers. Ce
chevalier, toutefois, ne fut point errant. Il resta chez
lui à Dusseldorf, dans l'*Arche de Noé*. «C'est le nom
que portait la petite maison patrimoniale, à cause de
l'arche que l'on voyait joliment sculptée sur la porte
25 et peinte en couleurs voyantes. Là, il put s'adonner

sans repos à tous ses goûts, à tous ses enfantillages
d'érudition, à sa bibliomanie et à sa rage d'écrivailler,
principalement dans les gazettes politiques et les
revues obscures.»

C'est par le zèle du bien public que le pauvre Simon 5
de Geldern était poussé à écrire. Il y peinait beaucoup. Penser seulement lui coûtait des efforts désespérés. Il se servait d'un vieux style raide qu'on lui
avait enseigné dans les écoles de jésuites.

«Ce fut justement cet oncle, nous dit Henri Heine, 10
qui exerça une grande influence sur la culture de mon
esprit, et auquel, sur ce point, je suis infiniment redevable. Si différente que fût notre manière de voir,
ses aspirations littéraires, pitoyables d'ailleurs, con-
tribuèrent peut-être à éveiller en moi le désir d'écrire.» 15

La figure du vieux Geldern m'en rappelle une autre
qui, n'existant, celle-là, que par mes propres souvenirs,
semblera pâle et sans charme. A la vérité, je n'en
saurai jamais faire un de ces portraits à la fois fantastiques et vrais dont Rembrandt et Heine eurent le 20
secret. C'est dommage! l'original méritait un savant
peintre.

Oui, j'eus aussi mon Simon de Geldern pour m'inspirer dès l'enfance l'amour des choses de l'esprit et
la folie d'écrire. Il se nommait Le Beau; c'est peut- 25
être à lui que je dois de barbouiller, depuis quinze
ans, du papier avec mes rêves. Je ne sais si je peux
l'en remercier. Du moins, il n'inspira à son élève
qu'une manie innocente comme la sienne.

Sa manie était de faire des catalogues. Il cata- 30
loguait. Je l'admirais, et, à dix ans, je trouvais plus

beau de faire des catalogues que de gagner des batailles. Je me suis, depuis, un peu gâté le jugement;
mais, au fond, je n'ai pas changé d'avis autant qu'on
pourrait croire. Le père Le Beau, comme on l'ap-
5 pelait, me semble encore digne de louanges et d'envie,
et, si parfois il m'arrive de sourire en pensant à ce
vieil ami, ma gaieté est tout affectueuse et tout
attendrie.

Le père Le Beau était fort vieux quand j'étais fort
10 jeune; ce qui nous permit de nous entendre très bien
ensemble.

Tout en lui m'inspirait une curiosité confiante. Ses
lunettes chaussées au bout du nez qu'il avait gros et
rond, son visage rose et plein, ses gilets à fleurs, sa
15 grande douillette dont les poches béantes regorgeaient
de bouquins, sa personne entière vous avait une bon-
homie relevée par un grain de folie. Il se coiffait
d'un chapeau bas à grands bords autour desquels ses
cheveux blancs s'enroulaient comme le chèvrefeuille
20 aux balustrades des terrasses. Tout ce qu'il disait
était simple, court, varié, en images, ainsi qu'un conte
d'enfant. Il était naturellement puéril, et m'amusait
sans s'efforcer en rien. Grand ami de mes parents et
voyant en moi un petit garçon intelligent et tranquille,
25 il m'encourageait à l'aller voir dans sa maison, où il
n'était guère visité que par les rats.

C'était une vieille maison, bâtie de côté sur une rue
étroite et montueuse qui mène au Jardin des Plantes,
et où je pense qu'alors tous les fabricants de bouchons
30 et tous les tonneliers de Paris étaient réunis. On y
sentait une odeur de bouc et de futailles que je n'ou-

blierai de ma vie.   On traversait, conduit par Nanon,
la vieille servante, un petit jardin de curé; on montait le perron et l'on entrait dans le logis le plus extraordinaire.   Des momies rangées tout le long de l'antichambre vous faisaient accueil; une d'elles était 5
renfermée dans sa gaine dorée, d'autres n'avaient plus
que des linges noircis autour de leur corps desséché:
une enfin, dégagée de ses bandelettes, regardait avec
des yeux d'émail et montrait ses dents blanches.
L'escalier n'était pas moins effrayant: des chaînes, 10
des carcans, des clefs de prison plus grosses que le
bras pendaient aux murs.

Le père Le Beau était de force à mettre, comme
Bouvard, un vieux gibet dans sa collection.   Il possédait du moins l'échelle de Latude et une douzaine 15
de belles poires d'angoisse.   Les quatre pièces de son
logis ne différaient point les unes des autres; des
livres y montaient jusqu'au plafond et couvraient les
planches pêle-mêle avec des cartes, des médailles, des
armures, des drapeaux, des toiles enfumées et des 20
morceaux mutilés de vieille sculpture sur bois ou sur
pierre.   Il y avait là, sur une table boiteuse et sur un
coffre vermoulu, des montagnes de faïences peintes.

Tout ce qui peut se pendre pendait du plafond dans
des attitudes lamentables.   En ce musée chaotique, 25
les objets se confondaient sous une même poussière,
et ne semblaient tenir que par les innombrables fils
dont les araignées les enveloppaient.

Le père Le Beau, qui entendait à sa façon la conservation des œuvres d'art, défendait à Nanon de 30
balayer les planchers.   Le plus curieux, c'est que tout

dans ce fouillis avait une figure ou triste ou moqueuse
et vous regardait méchamment.   J'y voyais un peuple
enchanté de malins esprits.

Le père Le Beau se tenait d'ordinaire dans sa
chambre à coucher qui était aussi encombrée que les
autres, mais non point aussi poudreuse; car la vieille
servante avait, par exception, licence d'y promener le
plumeau et le balai.   Une longue table couverte de
petits morceaux de carton en occupait la moitié.

Mon vieil ami, en robe de chambre à ramages et
coiffé d'un bonnet de nuit, travaillait devant cette
table avec toute la joie d'un cœur simple.   Il cataloguait.   Et moi, les yeux grands ouverts, retenant
mon souffle, je l'admirais.   Il cataloguait surtout les
livres et les médailles.   Il s'aidait d'une loupe et
couvrait ses fiches d'une petite écriture régulière et
serrée.   Je n'imaginais pas qu'on pût se livrer à une
occupation plus belle.   Je me trompais.   Il se trouva
un imprimeur pour imprimer le catalogue du père Le
Beau, et je vis alors mon ami corriger les épreuves.
Il mettait des signes mystérieux en marge des placards.
Pour le coup, je compris que c'était la plus belle occupation du monde et je demeurai stupide d'admiration.

Peu à peu, l'audace me vint et je me promis d'avoir
aussi un jour des épreuves à corriger.   Ce vœu n'a
point été exaucé.   Je le regrette médiocrement, ayant
reconnu, dans le commerce d'un homme de lettres de
mes amis, qu'on se lasse de tout, même de corriger
des épreuves.   Il n'en est pas moins vrai que mon
vieil ami détermina ma vocation.   Par le spectacle

peu commun de son ameublement, il accoutuma mon
esprit d'enfant aux formes anciennes et rares, le
tourna vers le passé et lui donna des curiosités ingé-
nieuses; par l'exemple d'un labeur intellectuel régulièrement accompli sans peine et sans inquiétude, il me   5
donna dès l'enfance l'envie de travailler à m'instruire.
C'est grâce à lui enfin que je suis devenu en mon particulier grand liseur, zélé glossateur de textes anciens
et que je griffonne des mémoires qui ne seront point
imprimés.   10

J'avais douze ans, quand mourut doucement ce
vieillard aimable et singulier.   Son catalogue, comme
vous pensez bien, restait en placards; il ne fut point
publié.   Nanon vendit aux brocanteurs les momies et
le reste, et ces souvenirs sont vieux maintenant de 15
plus d'un quart de siècle.

La semaine dernière, je vis exposée à l'hôtel Drouot
une de ces petites Bastilles que le patriote Palloy tail-
lait, en 1789, dans des pierres de la forteresse détruite
et qu'il offrait, moyennant salaire, aux municipalités 20
et aux citoyens.   La pièce était peu rare et de maniement incommode.   Je l'examinai pourtant avec une
curiosité instinctive, et j'éprouvai quelque émotion en
lisant, à la base d'une des tours, cette mention à demi
effacée: *Du cabinet de M. Le Beau.*   25

III

LA GRAND'MAMAN NOZIÈRE

Ce matin-là, mon père avait le visage bouleversé.
Ma mère, affairée, parlait tout bas. Dans la salle à
manger, une couturière cousait des vêtements noirs.

Le déjeuner fut triste et plein de chuchotements.
5 Je sentais bien qu'il y avait quelque chose.

Enfin, ma mère, tout de noir habillée et voilée, me
dit:

—Viens, mon chéri.

Je lui demandai où nous allions; elle me répondit:
10 — Pierre, écoute-moi bien. Ta grand'maman Nozière . . . tu sais, la mère de ton père . . . est morte
cette nuit. Nous allons lui dire adieu et l'embrasser
une dernière fois.

Et je vis que ma mère avait pleuré. Pour moi, je
15 ressentis une impression bien forte; car elle ne s'est
pas encore effacée depuis tant d'années, et si vague,
qu'il m'est impossible de l'exprimer par des mots.
Je ne puis même pas dire que c'était une impression
triste. La tristesse du moins n'y avait rien de cruel.
20 Un mot peut-être, un seul, celui de romanesque, peut
s'appliquer en quelque chose à cette impression qui
n'était formée en effet par aucun élément de réalité.

Tout le long du chemin, je pensais à ma grand'-
mère; mais je ne pus me faire une idée de ce qui lui
25 était arrivé. Mourir! je ne devinais pas ce que cela

pouvait être. Je sentais seulement que l'heure en
était grave.

Par une illusion qui peut s'expliquer, je crus voir,
en approchant de la maison mortuaire, que les alen-
tours et tout le voisinage étaient sous l'influence de la 5
mort de ma grand'mère, que le silence matinal des
rues, les appels des voisins et des voisines, l'allure
rapide des passants, le bruit des marteaux du maréchal avaient pour cause la mort de ma grand'mère.
A cette idée, qui m'occupait tout entier, j'associais la 10
beauté des arbres, la douceur de l'air et l'éclat du ciel,
remarqués pour la première fois.

Je me sentais marcher dans une voie de mystère, et,
quand, au détour d'une rue, je vis le petit jardin et le
pavillon bien connus, j'éprouvai comme une décep- 15
tion de n'y rien trouver d'extraordinaire. Les oiseaux
chantaient.

J'eus peur et je regardai ma mère. Ses yeux étaient
fixés, avec une indicible expression d'horreur, sur un
point vers lequel à mon tour je dirigeai mon regard. 20

Alors j'aperçus à travers les vitres et les rideaux
blancs de la chambre de ma grand'mère une lueur, une
faible et pâle lueur, qui tremblait. Et cette lueur
était si funèbre dans la grande clarté du jour, que je
baissai la tête pour ne plus la voir. 25

Nous montâmes le petit escalier de bois et nous
traversâmes l'appartement, qu'emplissait un vaste
silence. Quand ma mère allongea la main pour ouvrir la porte de la chambre, je voulus lui arrêter le
bras. . . . Nous entrâmes. Une religieuse assise dans 30
un fauteuil se leva et nous fit place au chevet du lit.
Ma grand'mère était là, couchée, les yeux clos.

Il me semblait que sa tête était devenue lourde,
lourde comme une pierre, tant elle creusait l'oreiller!
Avec quelle netteté je la vis! Un bonnet blanc lui
cachait les cheveux; elle paraissait moins vieille qu'à
5 l'ordinaire, bien que décolorée.

Oh! qu'elle n'avait pas l'air de dormir! Mais d'où
lui venait ce petit sourire narquois et obstiné qui faisait tant de peine à voir?

Il me sembla que les paupières palpitaient un peu,
10 sans doute parce qu'elles étaient exposées à la clarté
tremblante des deux cierges allumés sur la table, à
côté d'une assiette où un rameau de buis trempait
dans l'eau bénite.

— Embrasse ta grand'mère, me dit maman.

15 J'avançai mes lèvres. L'espèce de froid que je sentis n'a pas de nom et n'en aura jamais.

Je baissai les yeux et j'entendis ma mère qui san-
glotait.

Je ne sais pas, en vérité, ce que je serais devenu si
20 la servante de ma grand'mère ne m'eût pas emmené
de cette chambre.

Elle me prit par la main, me mena chez un marchand de jouets et me dit:

— Choisis.

25 Je choisis une arbalète et je m'amusai à lancer des
pois chiches dans les feuilles des arbres.

J'avais oublié ma grand'mère.

C'est le soir seulement, en voyant mon père, que
les pensées du matin me revinrent. Mon pauvre père
30 n'était plus reconnaissable. Il avait le visage gonflé,
luisant, plein de feux, les yeux noyés, les lèvres con-
vulsives.

Il n'entendait pas ce qu'on lui disait et passait de l'accablement à l'impatience.   Près de lui, ma mère écrivait des adresses sur des lettres bordées de noir. Des parents vinrent l'aider.   On me montra à plier les lettres.   Nous étions une dizaine autour d'une grande table.   Il faisait chaud.   Je travaillais à une besogne nouvelle ; cela me donnait de l'importance et m'amusait.

Après sa mort, ma grand'mère vécut pour moi d'une seconde vie plus remarquable que la première.   Je me représentais avec une force incroyable tout ce que je lui avais vu faire ou entendu dire autrefois, et mon père faisait d'elle tous les jours des récits qui nous la rendaient vivante, si bien que parfois, le soir, à table, après le repas, il nous semblait presque l'avoir vue rompre notre pain.   Pourquoi n'avons-nous pas dit à cette chère ombre ce que dirent au Maître les pèlerins d'Emmaüs :

— Demeurez avec nous, car il se fait tard et déjà le jour baisse.

Oh ! quel gentil revenant elle faisait, avec son bonnet de dentelles à rubans verts !   Il n'entrait pas dans la tête qu'elle s'accommodât de l'autre monde. La mort lui convenait moins qu'à personne.   Cela va à un moine de mourir, ou encore à quelque belle héroïne.   Mais cela ne va pas du tout à une petite vieille rieuse et légère, joliment chiffonnée, comme était grand'maman Nozière.

Je vais vous dire ce que j'avais découvert tout seul, quand elle vivait encore.

Grand'maman était frivole ; grand'maman avait une

morale facile ; grand'maman n'avait pas plus de
piété qu'un oiseau.   Il fallait voir le petit œil rond
qu'elle nous faisait quand, le dimanche, nous par-
tions, ma mère et moi, pour l'église.   Elle souriait du
5 sérieux que ma mère apportait à toutes les affaires de
ce monde et de l'autre.   Elle me pardonnait facilement mes fautes et je crois qu'elle était femme à en
pardonner de plus grosses que les miennes.   Elle
avait coutume de dire de moi :

10   —Ce sera un autre gaillard que son père.   Elle
entendait par là que j'emploierais ma jeunesse à
danser et que je serais amoureux des cent mille
vierges.   Elle me flattait.   La seule chose qu'elle
approuverait en moi, si elle était encore de ce monde
15 (où elle compterait aujourd'hui cent dix ans d'âge),
c'est une grande facilité à vivre et une heureuse tolérance que je n'ai pas payées trop cher en les achetant
au prix de quelques croyances morales et politiques.
Ces qualités avaient chez ma grand'mère l'attrait des
20 grâces naturelles.   Elle mourut sans savoir qu'elle les
possédait.   Mon infériorité est de connaître que je
suis tolérant et sociable.

Elle datait du xviiie siècle, ma grand'mère.   Et il
y paraissait bien !   Je regrette qu'on n'ait pas écrit
25 ses mémoires.   Quant à les écrire elle-même, elle en
était bien incapable.   Mais mon père n'eût-il pas dû
le faire au lieu de mesurer des crânes de Papous et
de Boschimans ?   Caroline Nozière naquit à Versailles le 16 avril 1772 ; elle était fille du médecin
30 Dussuel, dont Cabanis estimait l'intelligence et le
caractère.   Ce fut Dussuel qui, en 1786, soigna le

dauphin, atteint d'une légère scarlatine. Une voiture
de la reine allait tous les jours à Luciennes le prendre
dans la maisonnette où il vivait pauvrement avec ses
livres et son herbier, comme un disciple de Jean-
Jacques. Un jour la voiture rentra vide au palais; 5
le médecin avait refusé de venir. A la visite suivante,
la reine irritée lui dit:

—Vous nous aviez donc oubliés, monsieur!

— Madame, répondit Dussuel, vos reproches m'of-
fensent; mais ils font honneur à la nature et je dois 10
les pardonner à une mère. N'en doutez pas, je soigne
votre fils avec humanité. Mais j'ai été retenu hier
auprès d'une paysanne malade.

En 1789 Dussuel publia une brochure que je ne
puis ouvrir sans respect ni lire sans sourire. Cela a 15
pour titre: *les Vœux d'un citoyen*, et pour épigraphe:
Miseris succurrere disco. L'auteur dit en commençant
qu'il forme, sous le chaume, des vœux pour le bonheur des Français. Il trace ensuite, avec candeur,
les règles de la félicité publique; ce sont celles d'une 20
sage liberté garantie par la Constitution. Il termine
en signalant à la reconnaissance des hommes sensi-
bles Louis XVI, roi d'un peuple libre, et il annonce
le retour de l'âge d'or.

Trois ans après, on lui guillotinait ses malades, qui 25
étaient en même temps ses amis, et lui-même, suspect
de modérantisme, était conduit, sur l'ordre du comité
de Sèvres, à Versailles, dans le couvent des Récollets
transformé en maison d'arrêt. Il y arriva couvert de
poussière et plus semblable à un vieux gueux qu'à un 30
médecin philosophe. Il posa à terre un petit sac

contenant les œuvres de Locke et d'Helvétius, se
laissa tomber sur une chaise et soupira:

— Est-ce donc la récompense de cinquante ans de
vertu?

5   Une jeune femme admirablement belle, qu'il n'avait
pas vue d'abord, s'approchant avec une cuvette et
une éponge, lui dit :

— Il est croyable que nous serons guillotinés, monsieur. Voulez-vous, en attendant, me permettre de
10 vous laver la figure et les mains? car vous êtes fait
comme un sauvage.

Femme sensible, s'écria le vieux Dussuel, est-ce
dans le séjour du crime que je devais vous rencontrer! Votre âge, votre visage, vos procédés, tout me
15 dit que vous êtes innocente.

— Je ne suis coupable que d'avoir pleuré la mort
du meilleur des rois, répondit la belle captive.

—Louis XVI eut des vertus, reprit mon aïeul,
mais quelle n'eût point été sa gloire s'il avait été
20 fidèle jusqu'au bout à cette sublime Constitution! . . .

—Quoi! monsieur, s'écria la jeune femme en agitant son éponge dégouttante, vous êtes un jacobin et
du parti des brigands! . . .

—Eh quoi! madame, vous êtes de la faction des
25 ennemis de la France? soupira Dussuel à demi débar-
bouillé. Se peut-il qu'on trouve de la sensibilité chez
une aristocrate?

Elle se nommait de Laville et avait porté le deuil
du roi. Pendant les quatre mois qu'ils furent enfer-
30 més ensemble, elle ne cessa de quereller son compa-
gnon et de s'ingénier à lui rendre service. Contre

leur attente, on ne leur coupa point la tête; ils
furent relaxés sur un rapport du député Battelier, et
madame de Laville devint par la suite la meilleure
amie de ma grand'mère, qui était alors âgée de vingt
et un ans et mariée depuis trois ans au citoyen 5
Danger, adjudant-major d'un bataillon de volontaires
du Haut-Rhin.

—C'est un fort joli homme, disait ma grand'mère;
mais je ne serais pas sûre de le reconnaître dans la
rue.   10

Elle assurait ne l'avoir jamais vu, en tout, plus de
six heures, en cinq fois.   Elle l'avait épousé par une
idée d'enfant, afin de pouvoir porter une coiffure *à la*
Nation.   En réalité, elle ne voulait point de mari.
Et lui, voulait toutes les femmes.   Il s'en alla; elle 15
le laissa aller sans lui en vouloir le moins du monde.

En partant pour la gloire, Danger laissait pour tout
bien à sa femme, dans le tiroir d'un secrétaire, des reçus d'argent d'un sien frère, Danger de Saint-Elme,
officier à l'armée de Condé, et un paquet de lettres 20
écrites par des émigrés.   Il y avait là de quoi faire
guillotiner ma grand'mère et cinquante personnes
avec elle.

Elle en avait bien quelque soupçon, et, à chaque
visite domiciliaire qu'on faisait dans le quartier, elle 25
se disait « Il faudra pourtant que je brûle les papiers
de mon coquin de mari. »   Mais les idées lui dansaient
dans la tête.   Elle s'y décida pourtant un matin.

Elle avait bien pris son temps ! . . .

Assise devant la cheminée, elle triait les papiers 30
du secrétaire, après les avoir répandus pêle-mêle sur

le canapé. Et, tranquillement, elle faisait des petits
tas, mettant à part ce qu'on pouvait garder, à part ce
qu'il fallait détruire. Elle lisait une ligne de çà, une
ligne de là, telle page et telle autre, et son esprit, voya-
5 geant de souvenir en souvenir, picorait en route quelque
brin du passé, quand tout à coup elle entendit ouvrir la
porte d'entrée. Aussitôt, par une révélation soudaine
de l'instinct, elle sut que c'était une visite domiciliaire.

Elle saisit à brassée tous les papiers et les jeta sous
10 le canapé, dont la housse trainait jusqu'à terre. Et,
comme ils débordaient, elle les repoussa du pied sous
le meuble. Une corne de lettre passait encore comme
le bout de l'oreille d'un petit chat blanc, quand un
délégué du Comité de sûreté générale entra dans la
15 chambre avec six hommes de la section, armés de
fusils, de sabres, de piques. Madame Danger se tenait debout devant le canapé. Elle songeait que la
certitude de sa perte n'était pas tout à fait entière,
qu'il lui restait une petite chance sur mille et mille, et
20 ce qui allait se passer l'intéressait extrêmement.

—Citoyenne, lui dit le président de la section, tu
es dénoncée comme entretenant une correspondance
avec les ennemis de la République. Nous venons
saisir tous tes papiers.

25 L'homme du Comité de sûreté générale s'assit sur
le canapé pour écrire le procès-verbal de la saisie.

Alors ces gens fouillèrent tous les meubles faisant
sauter les serrures et vidant les tiroirs n'y trouvant
rien, ils défoncèrent les placards, culbutèrent les com-
30 modes, décrochèrent les tableaux et crevèrent à coups
de baïonnette les fauteuils et les matelas ; mais ce fut

en vain.   Ils éprouvèrent les murs à coups de crosse, explorèrent les cheminées et firent sauter quelques lames du parquet.   Ils y perdirent leur peine.   Enfin, après trois heures de fouilles infructueuses et de ravages inutiles, lassés, désespérés, humiliés, ils se retirèrent en promettant bien de revenir.   Ils ne s'étaient pas avisés de regarder sous le canapé.

Peu de jours après, comme elle revenait de la comédie, ma grand'mère trouva à la porte de sa maison un homme décharné, blême, défiguré par une barbe grise et sale, qui se jeta à ses pieds et lui dit :

—Citoyenne Danger, je suis Alcide, sauvez-moi !

Elle le reconnut alors.

— Mon Dieu ! lui dit-elle, se peut-il que vous soyez M. Alcide, mon maître à danser ?   En quel état vous revois-je, monsieur Alcide !

— Je suis proscrit, citoyenne ; sauvez-moi !

— Je ne puis que l'essayer.   Je suis moi-même suspecte, et ma cuisinière est jacobine.   Suivez-moi. Mais veillez à ce que mon portier ne vous voie pas. Il est officier municipal.

Ils montèrent l'escalier, et cette bonne petite madame Danger s'enferma dans son appartement avec le déplorable Alcide, qui grelottait la fièvre et répétait, en claquant des dents :

— Sauvez-moi, sauvez-moi !

A lui voir une si pitoyable mine, elle avait envie de rire.   La situation pourtant était critique.

— Où le fourrer ? se demandait ma grand'mère en parcourant du regard les armoires et les commodes.

Faute de lui trouver une autre place, elle eut l'idée de le mettre dans son lit.

Elle tira deux matelas en dehors des autres et, for-
mant ainsi un espace près du mur, elle y coula Alcide.
Le lit avait de la sorte un ·air bouleversé. Elle s'y
mit. Puis, sonnant la cuisinière :

5 — Zoé, je suis souffrante ; donnez-moi un poulet, de
la salade et un verre de vin de Bordeaux. Zoé, qu'y
a-t-il de nouveau aujourd'hui ?

— Il y a un complot de ces gueux d'aristocrates,
qui veulent se faire guillotiner jusqu'au dernier. Mais
10 les sans-culottes ont l'œil. Ça ira ! ça ira !...Le portier m'a dit qu'un scélérat du nom d'Alcide est re-
cherché dans la section, et que vous pouvez vous attendre à une visite domiciliaire pour cette nuit.

Alcide, entre deux matelas, entendait ces douceurs.
15 Il fut pris, après le départ de Zoé, d'un tremblement
nerveux qui secouait tout le lit, et sa respiration devint si pénible qu'elle emplissait toute la chambre
d'un sifflement strident.

— Voilà qui va bien, se dit la petite madame Dan-
20 ger.

Et elle mangea son aile de poulet, et passa au triste
Alcide deux doigts de vin de Bordeaux.

— Ah ! madame !...ah ! Jésus !... s'écriait Alcide.

Et il se mit à geindre avec plus de force que de
25 raison.

— A merveille ! se dit madame Danger ; la municipalité n'a qu'à venir...

Elle en était là de ses pensées, quand un bruit de
crosses tombant lourdement à terre ébranla le palier.
30 Zoé introduisit quatre officiers municipaux et trente
soldats de la garde nationale.

Alcide ne bougeait plus et ne faisait plus entendre
le moindre souffle.

— Levez-vous, citoyenne, dit un des gardes.

Un autre objecta que la citoyenne ne pouvait s'habiller devant des hommes.

Un citoyen, voyant une bouteille de vin, la saisit,
y goûta, et les autres burent à la régalade.

— Allons! dit madame Danger, je vois que vous
êtes des gens aimables.   Faites vite et cherchez tout
ce que vous avez à chercher, car je meurs de sommeil.

Ils restèrent deux mortelles heures dans la chambre; ils passèrent vingt fois l'un après l'autre devant
le lit et regardèrent s'il n'y avait personne dessous.
Puis, après avoir débité mille impertinences, ils s'en
allèrent.

Le dernier avait à peine tourné les talons, que la
petite madame Danger, la tête dans la ruelle, appela:

— Monsieur Alcide! monsieur Alcide!

Une voix gémissante répondit:

—Ciel! on peut nous entendre.   Jésus! madame,
ayez pitié de moi.

— Monsieur Alcide, poursuivait ma grand'-mère,
quelle peur vous m'avez faite! Je ne vous entendais
plus je croyais que vous étiez mort, et, à l'idée de
coucher sur un mort, j'ai pensé cent fois m'évanouir.
Monsieur Alcide, vous n'en usez pas bien à mon
égard.   Quand on n'est pas mort, on le dit, vertubleu! Je ne vous pardonnerai jamais la peur que
vous m'avez faite.

Ne fut-elle pas excellente, ma grand'mère, avec son

pauvre M. Alcide? Elle l'alla cacher, le lendemain
à Meudon et le sauva gentiment.

On ne soupçonnerait pas la fille du philosophe
Dussuel d'avoir cru facilement aux miracles, ni de
5 s'être aventurée sur les confins du monde surnaturel.
Elle n'avait pas un brin de religion et son bon sens,
un peu court, s'offensait de tout mystère. Pourtant,
cette personne si raisonnable racontait à qui voulait
l'entendre un fait merveilleux dont elle avait été témoin.
10 En visitant son père, aux Récollets de Versailles,
elle avait connu madame de Laville, qui y était
prisonnière. Quand cette dame fut libre, elle alla
habiter rue de Lancry, dans la même maison que ma
grand'mère. Les deux appartements donnaient sur le
15 même palier.

Madame de Laville habitait avec sa jeune sœur
nommée Amélie.

Amélie était grande et belle. Son visage pâle, décoré d'une chevelure noire, avait une incomparable
20 beauté d'expression. Ses yeux, chargés de langueur
ou de flammes, cherchaient autour d'elle quelque
chose d'inconnu.

Chanoinesse au chapitre séculier de l'Argentière,
en attendant un établissement dans le monde Amélie
25 avait éprouvé, disait-on, dès le sortir de l'enfance, les
douleurs d'un amour qui ne fut point partagé et qu'elle
fut obligée de taire.

Elle paraissait accablée d'ennui. Il lui arrivait de
fondre en larmes sans raison apparente. Tantôt elle
30 restait des journées entières dans une immobilité
stupide, tantôt elle dévorait des livres de dévotion.

Mordue par ses propres chimères, elle se tordait dans d'indicibles souffrances.

L'arrestation de sa sœur, le supplice de plusieurs de ses amis, guillotinés comme conspirateurs, et d'incessantes alertes achevèrent de ruiner sa constitution 5 ébranlée.   Elle devint d'une maigreur effrayante. Les tambours qui appelaient tous les jours les sections aux armes, les bandes de citoyens en bonnet rouge et armés de piques qui défilaient devant ses fenêtres en chantant le *Ça ira!* la jetaient dans une épouvante 10 que suivaient des alternatives de torpeur et d'exaltation.   Des troubles nerveux se manifestèrent avec une force terrible et produisirent des effets étranges.

Amélie eut des songes dont la lucidité étonna ceux qui l'entouraient.   15

Errant la nuit, éveillée ou endormie, elle entendait des bruits lointains, des soupirs de victimes.   Parfois, debout, elle étendait le bras et, montrant dans l'ombre quelque chose d'invisible, elle prononçait le nom de Robespierre.   20

— Elle a, disait sa sœur, des pressentiments certains et elle prophétise les malheurs.

Or, dans la nuit du 9 au 10 thermidor, ma grand'-mère se tenait, ainsi que son père, dans la chambre des deux sœurs; ils étaient tous quatre fort agités, 25 résumant les graves événements de la journée et s'efforçant d'en deviner l'issue: le tyran décrété d'arrestation, conduit au Luxembourg et refusé par le concierge, mené ensuite aux bureaux de la police, sur le quai des Orfèvres. puis délivré par la Commune et 30 porté à l'hôtel de ville. . .

Y était-il encore, et dans quelle attitude, humiliée
ou menaçante? Ils éprouvaient tous quatre une
grande anxiété et n'entendaient rien, sinon, par inter-
valles, le galop des chevaux des estafettes d'Hanriot
5 qui brûlaient le pavé des rues. Ils attendaient,
échangeant par moments un souvenir, un doute, un
vœu. Amélie restait silencieuse.

Tout à coup elle poussa un grand cri.

Il était une heure et demie du matin. Penchée sur
10 une glace, elle semblait contempler une scène tragique.

Elle disait:

— Je le vois! je le vois! Qu'il est pâle! Le sang
s'échappe à flots de sa bouche, ses dents et ses mâchoires sont brisées. Louanges, louanges à Dieu! le
15 buveur de sang ne boira plus que le sien!...

En achevant ces paroles, qu'elle prononçait sur une
étrange mélopée, elle poussa un cri d'horreur et tomba
à la renverse. Elle avait perdu connaissance.

A ce moment même, dans la salle du conseil de
20 l'hôtel de ville, Robespierre recevait le coup de pistolet qui lui brisa la mâchoire et mit fin à la Terreur.

Ma grand'mère, qui était un esprit fort, croyait fermement à cette vision.

— Comment expliquez-vous cela?

25 — Je l'explique en faisant remarquer que ma grand'-
mère, pour esprit fort qu'elle était, croyait assez au
diable et au loup-garou. Jeune, toute cette sorcellerie
l'amusait, et elle était, comme on dit, une grande
faiseuse d'almanachs. Plus tard, elle prit peur du
30 diable; mais il était trop tard : il la tenait, elle ne
pouvait plus n'y pas croire.

Le 9 thermidor rendit la vie supportable à la petite
société de la rue de Lancry.   Ma grand'mère goûta
fort ce changement; mais il lui fut impossible de
garder rancune aux hommes de la Révolution.   Elle
ne les admirait pas,—elle n'a jamais admiré que moi,   5
— mais elle n'avait point de haine contre eux; il ne
lui vint jamais en tête de leur demander compte de la
peur qu'ils lui avaient faite.   Cela tient peut-être à
ce qu'ils ne lui avaient point fait peur.   Cela tient
surtout à ce que ma grand'mère était une bleue, une   10
bleue dans l'âme.   Et, comme a dit l'autre, les bleus
seront toujours les bleus.

Cependant Danger poursuivait à travers tous les
champs de bataille sa brillante carrière.   Toujours
heureux, il était en grand uniforme, à la tête de sa   15
brigade, quand il fut tué d'un boulet de canon le 20
avril 1808, dans le beau combat d'Abensberg.

Ma grand'mère apprit par le *Moniteur* qu'elle était
veuve, et que le brave général Danger « était enseveli
sous des lauriers »   20

Elle s'écria:

—Quel malheur! un si bel homme.

Elle épousa, l'année suivante, M. Hippolyte Nozière,
commis principal au ministère de la Justice, homme
pur et jovial qui jouait de la flûte de six à neuf heures   25
du matin et de cinq à huit heures du soir.   Ce fut,
cette fois, un mariage pour de bon.   Ils s'aimaient et,
n'étant plus très jeunes, ils surent être indulgents l'un
pour l'autre.   Caroline pardonna à Hippolyte son
éternelle flûte.   Et Hippolyte passa à Caroline toutes   30
les lunes qu'elle avait dans la tête.   Ils furent
heureux.

Mon grand-père Nozière est l'auteur d'une *Statistique des prisons. Paris, Imprimerie royale, 1817-19.* 2
vol. in-4°; et des *Filles de Momus, chansons nouvelles,
Paris, chez l'auteur.* 1821, in-18.

5 La goutte lui fit grand'guerre; mais elle ne put lui
ôter sa gaieté, même en l'empêchant de jouer de la
flûte; finalement, elle l'étouffa. Je ne l'ai pas connu.
Mais j'ai là son portrait: on l'y voit en habit bleu,
frisé comme un agneau et le menton perdu dans une
10 cravate immense.

— Je le regretterai jusqu'à mon dernier jour, disait
à quatre-vingts ans ma grand'mère, veuve alors
depuis une quinzaine d'années.

— Vous avez bien raison, madame, lui répondit un
15 vieil ami: Nozière avait toutes les vertus qui font un
bon mari.

— Toutes les vertus et tous les défauts, s'il vous
plaît, reprit ma grand'mère.

— Pour être un époux accompli, madame, il faut
20 donc avoir des défauts?

— Pardi! fit ma grand'mère en haussant les épaules,
il faut n'avoir pas de vices, et c'est un grand défaut,
cela!

Elle mourut, le 4 juillet 1853, dans sa quatre-vingt
25 et unième année.

IV

LA DENT

Si l'on mettait à se cacher autant de soin qu'on en met d'ordinaire à se montrer, on éviterait bien des peines. J'en fis de bonne heure une première expérience.

C'était un jour de pluie. J'avais reçu en cadeau tout un attirail de postillon, casquette, fouet, guides et grelots. Il y avait beaucoup de grelots. J'attelai; c'est moi que j'attelai à moi-même, car j'étais tout ensemble le postillon, les chevaux et la voiture. Mon parcours s'étendait de la cuisine à la salle à manger par un couloir. Cette salle à manger me représentait très bien une place de village. Le buffet d'acajou où je relayais me semblait sans difficulté l'auberge du *Cheval-Blanc*. Le couloir m'était une grande route avec ses perspectives changeantes et ses rencontres imprévues. Confiné dans un petit espace sombre, je jouissais d'un vaste horizon et j'éprouvais, entre des murs connus, ces surprises qui font le charme des voyages. C'est que j'étais alors un grand magicien. J'évoquais pour mon amusement des êtres aimables et je disposais à souhait de la nature. J'ai eu, depuis, le malheur de perdre ce don précieux. J'en jouissais abondamment dans ce jour de pluie où je fus postillon.

Cette jouissance aurait dû suffire à mon contente-

ment; mais est-on jamais content? L'envie me vint
de surprendre, d'éblouir, d'étonner des spectateurs.
Ma casquette de velours et mes grelots ne m'étaient
plus de rien si personne ne les admirait. Comme j'en-
5 tendais mon père et ma mère causer dans la chambre
voisine, j'y entrai avec un grand fracas. Mon père
m'examina pendant quelques instants; puis il haussa
les épaules et dit:

—Cet enfant ne sait que faire ici. Il faut le mettre
10 en pension.

—Il est encore bien petit, dit ma mère.

—Eh bien, dit mon père, on le mettra avec les petits.

Je n'entendis que trop bien ces paroles; celles qui
suivirent m'échappèrent en partie, et, si je peux les
15 rapporter exactement, c'est qu'elles m'ont été répétées
plusieurs fois depuis.

Mon père ajouta:

—Cet enfant, qui n'a ni frères ni sœurs, développe
ici, dans l'isolement, un goût de rêverie qui lui sera
20 nuisible par la suite. La solitude exalte son imagination et j'ai observé que déjà sa tête était pleine de
chimères. Les enfants de son âge qu'il fréquentera
à l'école lui donneront l'expérience du monde. Il
apprendra d'eux ce que sont les hommes; il ne peut
25 l'apprendre de vous et de moi qui lui apparaissons
comme des génies tutélaires. Ses camarades se com-
porteront avec lui comme des égaux qu'il faut tantôt
plaindre et défendre, tantôt persuader ou combattre.
Il fera avec eux l'apprentissage de la vie sociale.

30 —Mon ami, dit ma mère, ne craignez-vous pas que,
parmi ces enfants, il n'y en ait de mauvais?

—Les mauvais eux-mêmes, répondit mon père, lui seront utiles s'il est intelligent, car il apprendra à les distinguer des bons, et c'est une connaissance fort nécessaire. D'ailleurs, vous visiterez vous-même les écoles du quartier, et vous choisirez une maison fré- 5 quentée par des enfants dont l'éducation correspond à celle que vous avez su donner à Pierre. La nature des hommes est partout la même; mais leur «nourri- ture,» comme disaient nos anciens, diffère beaucoup d'un lieu à un autre. Une bonne culture, pratiquée 10 depuis plusieurs générations, produit une fleur d'une extrême délicatesse, et cette fleur qui a coûté un siècle à former peut se perdre en peu de jours. Des enfants incultes feraient, par leur contact, dégénérer sans profit pour eux la culture de notre fils. La noblesse 15 des pensées vient de Dieu; celle des manières s'ac- quiert par l'exemple et se fixe par l'hérédité. Elle passe en beauté la noblesse du nom. Elle est natu- relle et se prouve par sa propre grâce, tandis que l'autre se prouve par des vieux papiers qu'on ne sait 20 comment débrouiller.

—Vous avez raison, mon ami, répondit ma mère. J'irai dès demain à la recherche d'une bonne pension pour notre enfant. Je la choisirai comme vous dites, et je m'assurerai qu'elle est prospère, car les soucis 25 d'argent détournent l'esprit du maître et aigrissent son caractère. Que pensez-vous, mon ami, d'une pension tenue par une femme?

Mon père ne répondait point.

—Qu'en pensez-vous? répéta ma mère. 30

—C'est un point qu'il faut examiner, dit mon père.

Assis dans son fauteuil, devant son bureau à cylindre, il examinait depuis quelques instants une espèce de petit os pointu d'un bout et tout fruste de
l'autre. Il le roulait dans ses doigts; certainement
il le roulait aussi dans sa pensée et, dès lors, avec
tous mes grelots, je n'existais plus pour lui.

Ma mère, accoudée au dossier du fauteuil, suivait
l'idée qu'elle venait d'exprimer.

Le docteur lui montra le vilain petit os et dit:

— Voici la dent d'un homme qui vécut au temps du
mammouth, pendant l'âge des glaces, dans une caverne jadis nue et désolée, maintenant à demi couverte
de vigne vierge et de giroflée et près de laquelle
s'élève depuis plusieurs années cette jolie maison
blanche que nous habitâmes pendant deux mois d'été,
l'année de notre mariage. Ce furent deux mois heureux. Comme il s'y trouvait un vieux piano, tu y
jouais du Mozart tout le jour, ma chérie, et, grâce à
toi, une musique spirituelle et charmante, qui s'envo-
lait par les fenêtres, animait cette vallée, où l'homme
de la caverne n'avait entendu que les miaulements du
tigre.

Ma mère posa sa tête sur l'épaule de mon père, qui
continua ainsi:

— Cet homme ne connaissait que la peur et la faim.
Il ressemblait à une bête. Son front était déprimé.
Les muscles de ses sourcils formaient en se contrac-
tant de hideuses rides; ses mâchoires faisaient sur sa
face une énorme saillie; ses dents avançaient hors de
sa bouche. Voyez comme celle-ci est longue et poin-
tue.

« Telle fut la première humanité. Mais insensiblement, par de lents et magnifiques efforts, les hommes,
devenus moins misérables, devinrent moins féroces;
leurs organes se modifièrent par l'usage. L'habitude
de la pensée développa le cerveau, et le front s'agran-
dit. Les dents, qui ne s'exerçaient plus à déchirer la
chair crue, poussèrent moins longues dans la mâchoire
moins forte. La face humaine prit une beauté sublime
et le sourire naquit sur les lèvres de la femme. »

Ici, mon père baisa la joue de ma mère, qui souriait; puis, élevant lentement au-dessus de sa tête la
dent de l'homme des cavernes, il s'écria:

— Vieil homme, dont voici la rude et farouche relique, ton souvenir me remue dans le plus profond de
mon être; je te respecte et t'aime, ô mon aïeul! Re-
çois, dans l'insondable passé où tu reposes, l'hommage
de ma reconnaissance, car je sais combien je te dois.
Je sais ce que tes efforts m'ont épargné de misères.
Tu ne pensais point à l'avenir, il est vrai, une faible
lueur d'intelligence vacillait dans ton âme obscure; tu
ne pus guère songer qu'à te nourrir et à te cacher.
Tu étais homme, pourtant. Un idéal confus te pous-
sait vers ce qui est beau et bon aux hommes. Tu
vécus misérable; tu ne vécus pas en vain, et la vie
que tu avais reçue si affreuse, tu la transmis un peu
moins mauvaise à tes enfants. Ils travaillèrent à leur
tour à la rendre meilleure. Tous, ils ont mis la main
aux arts: l'un inventa la meule, l'autre la roue. Ils
se sont tous ingéniés, et l'effort continu de tant d'esprits à travers les âges a produit des merveilles qui
maintenant embellissent la vie. Et, chaque fois qu'ils

inventaient un art ou fondaient une industrie, ils
faisaient naître par cela même des beautés morales et
créaient des vertus.   Ils donnèrent des voiles à la
femme, et les hommes connurent le prix de la beauté.

5   Ici, mon père posa sur son bureau la dent préhistorique et il embrassa ma mère.

Il parlait encore.   Il disait:

— Ainsi nous leur devons tout, à ces ancêtres, tout
et même l'amour!

10   Je voulus toucher cette dent qui avait inspiré à
mon père des paroles que je ne comprenais pas.   Je
m'approchai du bureau pour la saisir.   Mais, au bruit
que firent mes grelots, mon père tourna la tête de mon
côté, me regarda gravement et dit:

15   — Tout beau! la tâche n'est pas finie; nous serions
moins généreux que les hommes des cavernes si, notre
tour étant venu, nous ne travaillions pas à rendre à
nos enfants la vie plus sûre et meilleure qu'elle n'est
pour nous-mêmes.   Il est deux secrets pour cela:
20 aimer et connaître.   Avec la science et l'amour, on
fait le monde.

— Sans doute, mon ami, dit ma mère; mais, plus
j'y songe, plus je me persuade que c'est à une femme
qu'il faut confier un petit garçon de l'âge de notre
25 Pierre.   J'ai entendu parler d'une demoiselle Lefort.
J'irai la voir demain.

V

LA RÉVÉLATION DE LA POÉSIE

Mademoiselle Lefort, qui tenait dans le faubourg Saint-Germain une pension pour des enfants en bas âge, consentit à me recevoir de dix heures à midi et de deux heures à quatre. Je m'étais fait par avance une idée affreuse de cette pension, et, quand ma 5 bonne m'y traîna pour la première fois, je me jugeai perdu.

Aussi je fus extrêmement surpris, en entrant, de voir dans une grande chambre cinq ou six petites filles et une douzaine de petits garçons qui riaient, 10 faisaient des grimaces et donnaient toute sorte de signes de leur insouciance et de leur espièglerie. Je les jugeai bien endurcis.

Je vis, par contre, que mademoiselle Lefort était profondément triste. Ses yeux bleus étaient humides 15 et ses lèvres entr'ouvertes.

De pâles boucles à l'anglaise pendaient le long de ses joues, comme au bord des eaux les branches mélancoliques des saules. Elle regardait sans voir et semblait perdue dans un rêve. 20

La douceur de cette demoiselle affligée et la gaieté des enfants m'inspirèrent de la confiance; à la seule pensée que j'allais partager le sort de plusieurs petites filles, toutes mes craintes s'évanouirent.

Mademoiselle Lefort, m'ayant donné une ardoise 25

avec un crayon, me fit asseoir à côté d'un garçon de
mon âge qui avait les yeux vifs et l'air fin.

— Je m'appelle Fontanet, me dit-il, et toi?

Puis il me demanda ce que faisait mon père. Je
5 lui dis qu'il était médecin.

— Le mien est avocat, répondit Fontanet; c'est
mieux.

— Pourquoi?

— Tu ne vois pas que c'est plus joli d'être avocat?
10 — Non.

— Alors c'est que tu es bête.

Fontanet avait l'esprit fertile. Il me conseilla
d'élever des vers à soie et me montra une belle table
de Pythagore qu'il avait faite lui-même. J'admirai
15 Pythagore et Fontanet. Moi, je ne savais que des
fables.

En partant, je reçus de mademoiselle Lefort un
bon point dont je ne pus parvenir à découvrir
l'usage. Ma mère m'expliqua que n'avoir point d'u·
20 tilité était le propre des honneurs. Elle me demanda
ensuite ce que j'avais fait dans cette première journée. Je lui répondis que j'avais regardé mademoiselle Lefort.

Elle se moqua de moi, mais j'avais dit la vérité.
25 J'ai été enclin de tout temps à prendre la vie comme
un spectacle. Je n'ai jamais été un véritable observateur; car il faut à l'observation un système qui la
dirige, et je n'ai point de système. L'observateur
conduit sa vue; le spectateur se laisse prendre par
30 les yeux. Je suis né spectateur et je conserverai, je
crois, toute ma vie cette ingénuité des badauds de la

grande ville, que tout amuse et qui gardent, dans l'âge de l'ambition, la curiosité désintéressée des petits enfants. De tous les spectacles auxquels j'ai assisté, le seul qui m'ait ennuyé est celui qu'on a dans les théâtres en regardant la scène. Au contraire, les 5 représentations de la vie m'ont toutes diverti, à commencer par celles que j'eus dans la pension de mademoiselle Lefort.

Je continuai donc à regarder ma maîtresse et, me confirmant dans l'idée qu'elle était triste, je deman- 10 dai à Fontanet d'où venait cette tristesse. Sans rien affirmer de positif, Fontanet l'attribuait au re- mords et croyait bien se rappeler qu'elle fut subite- ment imprimée sur les traits de mademoiselle Lefort au jour, déjà ancien, où cette personne lui confisqua 15 sans nul droit une toupie de buis et commit presque aussitôt un nouvel attentat; car, pour étouffer les plaintes de celui qu'elle avait spolié, elle lui enfonça le bonnet d'âne sur la tête.

Fontanet concevait qu'une âme souillée de ces 20 actes eût perdu à jamais la joie et le repos; mais les raisons de Fontanet ne me suffisaient pas et j'en cherchais d'autres.

Il était difficile, à vrai dire, de chercher quelque chose dans la classe de mademoiselle Lefort, à cause 25 du tumulte qui y régnait sans cesse. Les élèves s'y livraient de grands combats devant mademoiselle Le- fort, visible, mais absente. Nous nous jetions les uns aux autres tant de catéchismes et de croûtes de pain, que l'air en était obscurci et qu'un crépitement 30 continu remplissait la salle. Seuls, les plus jeunes

enfants, les pieds dans les mains et la langue tirée
hors la bouche, regardaient le plafond avec un sourire
pacifique.

Soudain mademoiselle Lefort, entrant dans la mêlée d'un air de somnambule, punissait quelque innocent; puis elle rentrait dans sa tristesse comme dans
une tour.   Faites réflexion, je vous prie, à l'état d'esprit d'un petit garçon de huit ans qui, au milieu de
cette agitation incompréhensible, écrit depuis six
semaines sur une ardoise:

La faim mit au tombeau Malfilâtre ignoré.

C'était là ma tâche.   Par moments je me pressais
la tête dans les mains pour contenir mes idées; mais
une seule était distincte: l'idée de la tristesse de
mademoiselle Lefort.   Je m'occupais sans cesse de
ma désolée maîtresse.   Fontanet augmentait ma curiosité par d'étranges récits.   Il contait qu'on ne
pouvait passer le matin devant la chambre de mademoiselle Lefort sans entendre des cris lamentables,
mêlés à des bruits de chaînes.

—Je me rappelle, ajouta-t-il, qu'il y a longtemps,
un mois peut-être, elle lut à toute la classe, en sanglo-
tant, une histoire qu'on croit être en vers.

Il y avait dans le récit de Fontanet une expression
d'horreur qui me pénétra.   J'eus lieu de penser, dès
le lendemain, que ce récit n'était pas imaginaire, du
moins quant à la lecture à haute voix; car, pour ce
qui est des chaînes qui faisaient pâlir Fontanet, je
n'en ai jamais rien su et je suppose aujourd'hui que
le bruit de ces chaînes était en réalité un bruit de
pelles et de pincettes.

Le lendemain, voici ce qui eut lieu:

Mademoiselle Lefort frappa sur sa table avec une
règle pour obtenir le silence, toussa et dit d'une voix
sourde:

— *Pauvre Jane!*

Après une pause elle ajouta:

> Des vierges du hameau Jane était la plus belle.

Fontanet me donna un coup de coude dans la poitrine en lançant un rire en fusée. Mademoiselle Lefort lui jeta un regard indigné; puis, d'une voix plus
triste que les psaumes de la pénitence, elle continua
l'histoire de la pauvre Jane. Il est probable et
même certain que cette histoire était en vers d'un
bout à l'autre; mais je suis bien forcé de la conter
comme je l'ai retenue. On reconnaîtra, j'espère,
dans ma prose les membres épars du poète dispersé.

Jane était fiancée; elle avait engagé sa foi à un
jeune et vaillant montagnard. Oswald était le nom
de cet heureux pasteur. Déjà tout est préparé pour
l'hyménée, les compagnes de Jane lui apportent le
voile et la couronne. Heureuse Jane! Mais une
langueur l'envahit. Ses joues se couvrent d'une pâ-
leur mortelle. Oswald descend de la montagne. Il
accourt et lui dit: «N'es-tu pas ma compagne?» Elle
répond d'une voix éteinte: «Cher Oswald, adieu! Je
meurs!» Pauvre Jane!... Les cloches du hameau, qui
devaient sonner pour son hymen, sonnèrent pour ses
funérailles.

Il y avait dans ce récit un grand nombre de termes
que j'entendais pour la première fois et dont je ne
savais pas la signification; mais l'ensemble m'en

sembla si triste et si beau, que je ressentis, à l'entendre, un frisson inconnu; le charme de la mélancolie
m'était révélé par une trentaine de mauvais vers dont
j'aurais été incapable d'expliquer le sens littéral.
5 C'est que, à moins d'être vieux, on n'a pas besoin de
beaucoup comprendre pour beaucoup sentir. Des
choses obscures peuvent être des choses touchantes,
et il est bien vrai que le vague plaît aux jeunes âmes.

Les larmes jaillirent de mon cœur trop plein, et
10 Fontanet ne put, ni par ses grimaces, ni par ses mo-
queries, arrêter mes sanglots. Pourtant je ne doutais
pas alors de la supériorité de Fontanet. Il a fallu qu'il
devînt sous-secrétaire d'État pour m'en faire douter.

Mes larmes furent agréables à mademoiselle Lefort;
15 elle m'appela auprès d'elle et me dit:

— Pierre Nozière, vous avez pleuré; voici la croix
d'honneur. Apprenez que c'est moi qui ai fait cette
poésie. J'ai un gros cahier rempli de vers aussi beaux
que ceux-là; mais je n'ai pas encore trouvé d'éditeur
20 pour les imprimer. Cela n'est-il pas horrible et même
inconcevable?

— Oh! mademoiselle, lui dis-je, je suis bien content.
Je sais maintenant la cause de votre chagrin. Vous
aimez la pauvre Jane qui est morte dans le hameau,
25 et c'est parce que vous pensez à elle, n'est-ce pas?
que vous êtes triste et que vous ne vous apercevez
jamais de ce que nous faisons dans la classe?

Malheureusement, ces propos lui déplurent; car elle
me regarda avec colère et dit:

30 — Jane est une fiction. Vous êtes un sot. Rendez
cette croix et retournez à votre place.

Je retournai à ma place en pleurant. Cette fois, c'est sur moi que je pleurais, et j'avoue que ces nouvelles larmes n'avaient pas cette espèce de douceur qui s'était mêlée à celles que la pauvre Jane m'avait tirées. Une chose augmentait mon trouble: je ne savais pas du tout ce que c'était qu'une fiction; Fontanet ne le savait pas davantage.

Je le demandai à ma mère, quand je fus de retour à la maison.

— Une fiction, me répondit ma mère, c'est un mensonge.

— Ah! maman, lui dis-je, c'est un malheur que Jane soit un mensonge.

— Quelle Jane? demanda ma mère.

— Des vierges du hameau Jane était la plus belle.

Et je contai l'histoire de Jane telle qu'elle me restait dans l'esprit.

Ma mère ne me répondit rien; mais je l'entendis qui disait à l'oreille de mon père:

— Quelles pauvretés on apprend à cet enfant!

— Ce sont, en effet, de grandes pauvretés, dit mon père. Que voulez-vous aussi qu'une vieille fille entende à la pédagogie? J'ai un système d'éducation que je vous exposerai un jour. D'après ce système, il faut apprendre à un enfant de l'âge de notre Pierre les mœurs des animaux auxquels il ressemble par les appétits et par l'intelligence. Pierre est capable de comprendre la fidélité d'un chien, le dévouement d'un éléphant, les malices d'un singe: c'est cela qu'il faut lui conter, et non cette Jane, ce hameau et ces cloches qui n'ont pas le sens commun.

— Vous avez raison, répondit ma mère; l'enfant et
la bête s'entendent fort bien, ils sont tous deux près
de la terre. Mais, croyez-moi, mon ami, il y a une
chose que les enfants comprennent mieux encore que
5 les ruses des singes; ce sont les belles actions des
grands hommes. L'héroïsme est clair comme le jour,
même pour un petit garçon; et, si l'on raconte à
Pierre la mort du chevalier d'Assas, il la comprendra,
avec l'aide de Dieu, comme vous et moi.

10   — Hélas! soupira mon père, je crois, au contraire,
que l'héroïsme s'entend de diverses façons, selon les
temps, les lieux et les personnes. Mais il n'importe;
ce qui importe dans le sacrifice, c'est le sacrifice
même. Si l'objet pour lequel on se dévoue est une
15 illusion, le dévouement n'en est pas moins une réalité;
et cette réalité est la plus splendide parure dont
l'homme puisse décorer sa misère morale. Chère
amie, votre générosité naturelle vous a fait comprendre
ces vérités mieux que je ne les comprenais moi-même
20 avec le secours de l'expérience et de la réflexion. Je
les ferai entrer dans mon système.

Ainsi disputaient le docteur et ma mère.

Huit jours après, j'écrivais pour la dernière fois sur
mon ardoise, au milieu du tumulte:

25   La faim mit au tombeau Malfilâtre ignoré.

Fontanet et moi, nous quittâmes ensemble la pension
de mademoiselle Lefort.

VI

TEUTOBOCHUS

Il ne me paraît pas possible qu'on puisse avoir
l'esprit tout à fait commun, si l'on fut élevé sur les
quais de Paris, en face du Louvre et des Tuileries,
près du palais Mazarin, devant la glorieuse rivière de
Seine, qui coule entre les tours, les tourelles et les 5
flèches du vieux Paris.   Là, de la rue Guénégaud à la
rue du Bac, les boutiques des libraires, des antiquaires
et des marchands d'estampes étalent à profusion les
plus belles formes de l'art et les plus curieux témoi-
gnages du passé.   Chaque vitrine est, dans sa grâce 10
bizarre et son pêle-mêle amusant, une séduction pour
les yeux et pour l'esprit.   Le passant qui sait voir en
emporte toujours quelque idée, comme l'oiseau s'envole avec une paille pour son nid.

Puisqu'il y a là des arbres avec des livres, et que les 15
femmes y passent, c'est le plus beau lieu du monde.

Au temps de mon enfance, bien plus encore qu'à
présent, ce marché de la curiosité était abondamment
fourni de meubles anciens, d'estampes anciennes, de
vieux tableaux et de vieux livres, de crédences 20
sculptées, de potiches à fleurs, d'émaux, de faïences
décorées, d'orfrois, d'étoffes brochées, de tapisseries
à personnages, de livres à figures et d'éditions princeps
reliées en maroquin.   Ces aimables choses s'offraient
à des amateurs délicats et savants auxquels les agents 25

de change et les actrices ne les disputaient point
encore.   Elles étaient déjà familières à Fontanet et à
moi, quand nous avions encore des grands cols brodés,
des culottes courtes et les mollets nus.

5   Fontanet demeurait au coin de la rue Bonaparte,
où son père avait son cabinet d'avocat.   L'appartement de mes parents touchait à une des ailes de
l'hôtel de Chimay.   Nous étions, Fontanet et moi,
voisins et amis.   En allant ensemble, les jours de
10 congé, jouer aux Tuileries, nous passions par ce docte
quai Voltaire, et, là, cheminant un cerceau à la main
et une balle dans la poche, nous regardions aux boutiques tout comme les vieux messieurs, et nous nous
faisions à notre façon des idées sur toutes ces choses
15 étranges, venues du passé, du mystérieux passé.

Eh oui! nous flânions, nous bouquinions, nous ex-
aminions des images.

Cela nous intéressait beaucoup.   Mais Fontanet,
je dois le dire, n'avait pas comme moi le respect de
20 toutes les vieilleries.   Il riait des antiques plats à
barbe et des saints évêques dont le nez était cassé.
Fontanet était dès lors l'homme de progrès que vous
avez entendu à la tribune de la Chambre.   Ses irré-
vérences me faisaient frémir.   Je n'aimais point qu'il
25 appelât têtes de pipe les portraits bizarres des ancêtres.   J'étais conservateur.   Il m'en est resté quelque chose, et toute ma philosophie m'a laissé l'ami
des vieux arbres et des curés de campagne.

Je me distinguais encore de Fontanet par un pen-
30 chant à admirer ce que je ne comprenais pas.
J'adorais les grimoires; et tout ou peu s'en faut,

m'était grimoire.   Fontanet, au contraire, ne prenait
plaisir à examiner un objet qu'autant qu'il en concevait l'usage   Il disait: «Tu vois, il y a une charnière, cela se démonte.»   Fontanet était un esprit juste.
Je dois ajouter qu'il était capable d'enthousiasme en   5
regardant des tableaux de batailles.   Le *Passage de
la Bérézina* lui donnait de l'émotion.   La boutique
de l'armurier nous intéressait l'un et l'autre.   Quand
nous voyions, au milieu des lances, des targes, des
cuirasses et des rondaches, M. Petit-Prêtre, revêtu   10
d'un tablier de serge verte, s'en aller, en boitant
comme Vulcain, prendre au fond de l'atelier une antique épée qu'il posait ensuite sur son établi et qu'il
serrait dans un étau de fer pour nettoyer la lame et
réparer la poignée, nous avions la certitude d'assister   15
à un grand spectacle; M. Petit-Prêtre nous apparais-
sait haut de cent coudées.   Nous restions muets,
collés à la vitre.   Les yeux noirs de Fontanet bril-
laient et toute sa petite figure brune et fine s'animait.

Le soir, ce souvenir nous exaltait beaucoup, et   20
mille projets enthousiastes germaient dans nos têtes.

Fontanet me dit une fois:

— Si, avec du carton et le papier couleur d'argent
qui enveloppe le chocolat, nous faisions des armes
semblables à celles de Petit-Prêtre!...   25

L'idée était belle.   Mais nous ne parvînmes pas à
la réaliser convenablement.   Je fis un casque, que
Fontanet prit pour un bonnet de magicien.

Alors je dis:

— Si nous fondions un musée!...   30

Excellente pensée!   Mais nous n'avions pour le

moment à mettre dans ce musée qu'un **demi-cent**
de billes et une douzaine de toupies.

C'est à ce coup que Fontanet eut une troisième
conception.   Il s'écria:

5   — Composons une *Histoire de France*, avec tous
les détails, en cinquante volumes.

Cette proposition m'enchanta, et je l'accueillis
avec des battements de mains et des cris de joie.
Nous convînmes que nous commencerions le lende-
10 main matin, malgré une page du *De Viris* que nous
avions à apprendre.

— Tous les détails! répéta Fontanet.   Il faut mettre tous les détails!

C'est bien ainsi que je l'entendais.   Tous les détails!
15   On nous envoya coucher.   Mais je restai bien un
quart d'heure dans mon lit sans dormir, tant j'étais
agité par la pensée sublime d'une *Histoire de France*
en cinquante volumes, avec tous les détails.

Nous la commençâmes, cette histoire.   Je ne sais,
20 ma foi, plus pourquoi nous la commençâmes par le
roi Teutobochus.   Mais telle était l'exigence de
notre plan.   Notre premier chapitre nous mit en
présence du roi Teutobochus, qui était haut de trente
pieds, comme on put s'en assurer en mesurant ses
25 ossements retrouvés par hasard.   Dès le premier pas,
affronter un tel géant!   La rencontre était terrible.
Fontanet lui-même en fut étonné.

Il faut sauter par-dessus Teutobochus, me dit-il.

Je n'osai point.
30   L'*Histoire de France* en cinquante volumes s'arrêt
à Teutobochus.

Que de fois, hélas! j'ai recommencé dans ma vie cette aventure du livre et du géant! Que de fois, sur le point de commencer une grande œuvre ou de conduire une vaste entreprise, je fus arrêté net par un Teutobochus nommé vulgairement sort, hasard, nécessité! J'ai pris le parti de remercier et de bénir tous ces Teutobochus qui, me barrant les chemins hasardeux de la gloire, m'ont laissé à mes deux fidèles gardiennes, l'obscurité et la médiocrité. Elles me sont douces toutes deux, et m'aiment. Il faut bien que je le leur rende!

Quant à Fontanet, mon subtil ami Fontanet, avocat, conseiller général, administrateur de diverses compagnies, député, c'est merveille de le voir se jouer et courir entre les jambes de tous les Teutobochus de la vie publique, contre lesquels, à sa place, je me serais mille fois cassé le nez.

VII

LE PRESTIGE DE M. L'ABBÉ JUBAL

C'est le cœur gros de crainte et d'orgueil que j'entrai en huitième préparatoire. Le professeur de cette classe, M. l'abbé Jubal, n'était pas bien terrible par lui-même; il n'avait pas l'air d'un homme cruel;
5 il avait plutôt l'air d'une demoiselle. Mais il se tenait dans une grande chaire haute et noire, et cela me le rendait effrayant. Il avait la voix et le regard doux, les cheveux bouclés, les mains blanches, l'âme bienveillante. Il ressemblait à un mouton, plus
10 peut-être qu'il n'était séant à un professeur.

Ma mère, l'ayant vu un jour au parloir, murmura: «Il est bien jeune!» Et cela était dit d'un certain ton.

Je commençais à ne plus le craindre quand je me
15 vis contraint de l'admirer. Cela arriva pendant que je récitais ma leçon, qui consistait en des vers de l'abbé Gauthier, sur les premiers rois de France.

Je disais chaque vers tout d'une haleine et comme s'il eût été fait d'un mot unique:

20   PharamondfutditonlepremierdecesRois
          QuelesFrancsdanslaGauleontmissurlepavois
          ClodionprendCambraipuisrègneMérovée......

Là, je m'arrêtai court et répétai: *Mérovée, Mérovée, Mérovée*. Cette rime, mêlant l'utile à l'agréable, me
25 rappela que, lorsque régna *Mérovée*, Lutèce fut *pré*

servée... Mais de quoi? Il m'était bien impossible
de le dire, l'ayant complètement oublié. La chose,
je l'avoue, m'avait peu frappé. J'avais l'idée que
Lutèce était une vieille dame. J'étais content qu'elle
eût été préservée, mais ses affaires m'intéressaient   5
en somme extrêmement peu. Malheureusement, M.
l'abbé Jubal semblait tenir beaucoup à ce que je disse
de quel dommage elle avait été préservée. Je faisais:
« Heu . . . Mérovée! . . . heu, heu, heu.» J'aurais
donné ma langue au chat pour peu que c'en eût été 10
l'usage dans la classe de huitième préparatoire. Mon
voisin Fontanet se moquait de moi, et M. Jubal se
limait les ongles. Enfin:

— Des fureurs d'Attila Lutèce est préservée,

me dit-il. Puisque vous aviez oublié ce vers, mon- 15
sieur Nozière, il fallait le refaire au lieu de rester
court. Vous pouviez dire:

De l'invasion d'Attila Lutèce est préservée,

ou bien:

Du sombre Attila Lutèce est préservée ;   2c

ou plus élégamment:

Du terrible Attila, surnommé le fléau de Dieu, Lutèce est
                                        [préservée

On peut changer les mots pourvu qu'on respecte
la mesure.

J'eus un mauvais point; mais M. l'abbé Jubal ac- 25
quit un grand prestige à mes yeux par sa facilité
poétique. Ce prestige devait croître encore.

M. Jubal, que ses fonctions attachaient à la grammaire de Noël et Chapsal et à l'*Histoire de France*

de l'abbé Gauthier, ne négligeait pourtant pas l'enseignement moral et religieux.

Un jour, je ne sais à quel propos, il prit un air
grave et nous dit:

5 — Mes enfants, s'il vous fallait recevoir un ministre, vous vous empresseriez de lui faire les honneurs
de votre logis, comme à un représentant du souverain.
Eh bien, quels hommages ne devez-vous pas rendre
aux prêtres qui représentent Dieu sur la terre? Au-
10 tant Dieu est au-dessus des rois, autant le prêtre est
au-dessus des ministres.

Je n'avais jamais reçu de ministre et ne comptais
pas en recevoir de longtemps. J'avais même la certitude que, s'il en venait un à la maison, ma mère
15 m'enverrait dîner, ce jour-là, avec les bonnes, comme
cela se pratiquait malheureusement à chaque repas de
gala. Je n'en comprenais pas moins que les prêtres
sont prodigieusement respectables et, faisant à M.
Jubal l'application de cette vérité, je ressentis un
20 grand trouble. Je me rappelai avoir, en sa présence,
attaché un pantin de papier dans le dos de Fontanet.
Cela était-il respectueux? Aurais-je attaché un pantin de papier dans le dos de Fontanet devant un ministre? Assurément non. Et pourtant je l'avais atta-
25 ché, ce pantin, à l'insu il est vrai, mais en la présence
de M. l'abbé Jubal, qui est au-dessus des ministres.
Même il tirait la langue, le pantin! Mon âme était
éclairée. Je vécus bourrelé de remords. Ma résolution fut d'honorer M. l'abbé Jubal, et, s'il m'arriva
30 depuis de fourrer des petits cailloux dans le cou de
Fontanet pendant la classe et de dessiner des bons-

hommes sur la chaire même de l'abbé Jubal, je le fis
du moins avec la satisfaction de connaître toute
l'étendue de ma faute.

Il me fut donné, à quelque temps de là, de mesurer
la grandeur spirituelle de M. l'abbé Jubal.   5

J'étais dans la chapelle, attendant avec deux ou
trois camarades mon tour de me confesser. Le jour
baissait. La lueur de la lampe perpétuelle faisait
trembler les étoiles d'or de la voûte assombrie. Au
fond du chœur, la vierge peinte s'effaçait dans le va- 10
gue d'une apparition. L'autel était chargé de vases
dorés, pleins de fleurs; une odeur d'encens flottait
dans l'air; on entrevoyait confusément mille choses,
et l'ennui, l'ennui même, ce grand mal des enfants,
prenait une teinte douce dans l'atmosphère de cette 15
chapelle. Il me semblait que, du côté de l'autel, elle
touchait au paradis.

Le jour était tombé. Tout à coup je vis M. l'abbé
Jubal s'avancer avec une lanterne jusqu'au chœur.
Il fit une génuflexion profonde, puis, ouvrant la grille, 20
il monta les degrés de l'autel. Je l'observais: il défit
un paquet d'où sortirent des guirlandes de fleurs arti-
ficielles, qui ressemblaient à ces thyrses de cerises
qu'au mois de juillet des vieilles femmes nous ven-
daient dans les rues. Et je m'émerveillai de voir 25
mon professeur s'approcher de l'Immaculée Conception. Vous mîtes une pincée de pointes dans votre
bouche, monsieur l'abbé; je craignis d'abord que ce
ne fût pour les avaler, mais c'était pour les tenir à
portée de votre main. Car vous montâtes sur un es- 30
cabeau et vous commençâtes à clouer les guirlandes

autour de la niche de la sainte Vierge. Mais vous
descendiez de temps en temps de votre escabeau pour
juger à distance de l'effet de votre ouvrage, et vous
en étiez content; vos joues étaient rouges, votre œil
5 était clair; vous eussiez souri, sans les pointes que
vous teniez entre vos dents. Et moi, je vous admirais de tout mon cœur. Et, bien que la lanterne qui
était à terre vous éclairât les narines d'une façon
comique, je vous trouvais très beau. Je compris que
10 vous étiez au-dessus des ministres, comme vous nous
l'aviez insinué dans un discours habile. Je pensai
que monter tout empanaché sur un cheval blanc
pour gagner une bataille n'était pas une chose aussi
belle et désirable que de suspendre des guirlandes
15 aux murs d'une chapelle. Je connus que ma vocation
était de vous imiter.

Je vous imitai dès le soir même à la maison, en dé-
coupant avec les ciseaux de ma mère tout le papier
que je pus trouver et dont je fis des guirlandes. Mes
20 devoirs en souffrirent. Mon exercice français en souf-
frit notamment dans des proportions considérables.

C'était un exercice d'après le manuel d'un M. Coquempot, dont le livre était un livre cruel. Je n'ai
point de rancune, et, si cet auteur avait eu un nom
25 moins mémorable, je l'aurais généreusement oublié.
Mais on n'oublie pas Coquempot. Je ne veux pas
abuser contre lui de cette circonstance fortuite. Pourtant qu'il me soit permis de m'étonner qu'il faille faire
des exercices si douloureux pour apprendre une langue
30 qu'on nomme maternelle et que ma mère m'apprenait
fort bien, seulement en causant devant moi. Car elle
parlait à ravir, ma mère!

Mais M. l'abbé Jubal était pénétré de l'utilité de Coquempot, et, comme il ne pouvait entrer dans mes raisons, il me donna un mauvais point. L'année scolaire s'acheva sans incident notable. Fontanet se mit à élever des chenilles dans son pupitre. Alors j'en 5 élevai aussi, par amour-propre, bien qu'elles me fissent horreur. Fontanet haïssait Coquempot, cette haine nous réunit. Au seul nom de Coquempot, nous échangions sur nos bancs des regards d'intelligence et des grimaces expressives. Cela nous vengeait. Fontanet 10 me confia que, si l'on faisait encore du Coquempot en huitième, il s'engageait comme mousse sur un grand navire. Cette résolution me plut et je promis à Fontanet de m'engager avec lui. Nous nous jurâmes amitié.   15

Le jour de la distribution des prix, nous étions méconnaissables, Fontanet et moi. Cela tenait, sans doute, à ce que nous étions peignés. Nos vestes neuves, nos pantalons blancs, la tente de coutil, l'affluence des parents, l'estrade ornée de drapeaux, tout 20 cela m'inspirait l'émotion des grands spectacles. Les livres et les couronnes formaient un amas éclatant, dans lequel je cherchais anxieusement à deviner ma part, et je frissonnais sur mon banc. Mais Fontanet, plus sage, n'interrogeait pas la destinée. Il gardait 25 un calme admirable. Tournant dans tous les sens sa petite tête de furet, il remarquait les nez difformes des pères et les chapeaux ridicules des mères, avec une présence d'esprit dont j'étais incapable.

La musique éclata. Le directeur, ayant sur sa 30 soutane le petit manteau de cérémonie, parut sur

l'estrade au côté d'un général en grand uniforme et à
la tête des professeurs.   Je les reconnus tous.   Ils
prirent place, selon leur rang, derrière le général:
d'abord le sous-directeur, puis les professeurs des
5 hautes classes; puis M. Schuwer, professeur de solfège; M. Trouillon, professeur d'écriture, et le sergent
Morin, professeur de gymnastique.   M. l'abbé Jubal
parut le dernier et s'assit tout au fond sur un pauvre
petit tabouret qui, faute de place, ne posait que de
10 trois pieds sur l'estrade et crevait la toile avec le
quatrième.   Encore M. l'abbé Jubal ne put-il garder
longtemps cette humble place.   Des nouveaux venus
le refoulèrent dans un coin où il disparut sous un
drapeau.   On mit une table sur lui, et ce fut tout.
15 Fontanet s'amusa beaucoup de cette suppression.
Pour moi, j'étais confondu qu'on laissât ainsi dans un
coin, comme une canne ou un parapluie, une personne
qui excellait dans les fleurs et la poésie et représentait Dieu sur la terre.

VIII

LA CASQUETTE DE FONTANET

Chaque samedi, on nous menait à confesse. Si quelqu'un peut me dire pourquoi, il me fera plaisir. Cette pratique m'inspirait beaucoup de respect et d'ennui. Je ne crois pas que M. l'aumônier prît un véritable intérêt à entendre mes péchés; mais il m'était certainement désagréable de les lui dire. La première difficulté était de les trouver. Vous me croirez peut-être si je vous déclare qu'à dix ans je ne possédais pas les qualités psychiques et les méthodes d'analyse qui m'eussent permis d'explorer ration- nellement ma conscience interne.

Pourtant, il fallait avoir des péchés; car, point de péchés, point de confession. On m'avait donné, il est vrai, un petit livre qui les contenait tous. Je n'avais qu'à choisir. Mais le choix même était diffi- cile. Il y en avait là tant et de si obscurs sur le larcin, la simonie, la prévarication et la concupi- scence! Je trouvais dans ce petit livre: « Je m'accuse d'avoir désespéré.— Je m'accuse d'avoir entendu de mauvaises conversations.» Cela encore ne laissait pas de m'embarrasser beaucoup.

C'est pourquoi je m'en tenais d'ordinaire au chapi- tre des distractions. Distractions à l'office, distrac- tions pendant les repas, distractions dans «les assem- blées», j'avouais tout, et le vide déplorable de ma conscience m'inspirait une grande honte.

J'étais humilié de n'avoir pas de péchés.

Un jour, enfin, je songeai à la casquette de Fontanet ; je tenais mon péché ; j'étais sauvé !

A compter de ce jour, je me déchargeai chaque
5 samedi, aux pieds de M. l'aumônier du poids de la
casquette de Fontanet.

Par la façon dont j'endommageais en elle le bien
du prochain, cette casquette m'inspirait, chaque
samedi, pendant quelques minutes, de vives inquié-
10 tudes sur le salut de mon âme.   Je la remplissais de
sable ; je la jetais dans les arbres, d'où il fallait
l'abattre à coups de pierres comme un fruit avant sa
maturité ; j'en faisais un chiffon pour effacer les
figures à la craie sur le tableau noir ; je la jetais par
15 un soupirail dans des caves inaccessibles, et, lorsqu'au
sortir de la classe l'ingénieux Fontanet parvenait à la
retrouver, ce n'était plus qu'un lambeau sordide.

Mais une fée veillait sur sa destinée, car elle repa-
raissait le lendemain matin sur la tête de Fontanet
20 avec l'aspect imprévu d'une casquette propre, honnête, presque élégante.   Et cela tous les jours.   Cette
fée était la sœur aînée de Fontanet.   A ce seul trait,
on peut l'estimer bonne ménagère.

Plus d'une fois, tandis que je m'agenouillais au
25 pied du sacré tribunal, la casquette de Fontanet
plongeait, de mon fait, au fond du bassin de la cour
d'honneur.   Il y avait alors dans ma situation quelque chose de délicat.

Et quel sentiment m'animait contre cette casquette ?
30 La vengeance.

Fontanet me persécutait, à cause d'une gibecière de

forme antique et bizarre que mon oncle, homme économe, m'avait donnée pour mon malheur.   Elle était
beaucoup trop grande pour moi et j'étais beaucoup
trop petit pour elle.   De plus, cette gibecière ne ressemblait pas à une gibecière, par la raison que ce n'en   5
était pas une.   C'était un vieux portefeuille, qui se
tirait comme un accordéon et auquel le cordonnier de
mon oncle avait mis une courroie.

Ce portefeuille m'était odieux, non sans raison.
Mais je ne crois pas aujourd'hui qu'il fût assez laid   10
pour mériter les indignités qu'on lui fit.   Il était de
maroquin rouge à large dentelle d'or, et portait au-
dessus d'une serrure de cuivre une couronne et des
armoiries lacérées.   Une soie passée, qui avait été
bleue, le tapissait intérieurement.   S'il existait encore,   15
avec quelle attention je l'examinerais!   Car, à me rappeler la couronne, qui devait être une couronne royale, et l'écu, sur lequel on voyait encore (à moins que
je ne l'aie rêvé) trois fleurs de lys mal effacées à coups
de canif, je soupçonne aujourd'hui ce portefeuille   20
d'avoir été, à l'origine, le portefeuille d'un ministre de
Louis XVI.

Mais Fontanet, qui ne le considérait point dans son
passé, ne pouvait me le voir au dos sans y jeter des
boules de neige ou des marrons d'Inde, selon la saison,   25
et des balles élastiques toute l'année.

Dans le fait, mes camarades, et Fontanet lui-même,
n'avaient qu'un seul grief contre ma gibecière: son
étrangeté.   Elle n'était pas comme les autres; de là
tous les maux qu'elle m'a causés.   Les enfants ont un   30
sentiment brutal de l'égalité.   Ils ne souffrent rien de

distinctif ni d'original. C'est ce caractère que mon
oncle n'avait pas assez observé quand il me fit son
pernicieux présent. La gibecière de Fontanet était
affreuse; ses deux frères aînés l'ayant traînée tour à
5 tour sur les bancs du lycée, elle ne pouvait plus être
salie; le cuir en était tout écorché et crevé; les boucles,
disparues, étaient remplacées par des ficelles; mais,
comme elle n'avait rien d'extraordinaire, Fontanet n'en
éprouva jamais de désagrément. Et moi, quand j'en-
10 trais dans la cour de la pension, mon portefeuille au
dos, j'étais immédiatement assourdi par des huées,
entouré, bousculé, renversé à plat ventre. Fontanet
appelait cela me faire faire la tortue, et il montait sur
ma carapace. Il n'était pas bien lourd, mais j'étais
15 humilié. Aussitôt remis debout, je sautais sur sa casquette.

Sa casquette était toujours neuve et ma gibecière
indestructible, hélas! Et nos violences s'enchaînaient
par une inexorable fatalité, comme les crimes dans
20 l'antique maison des Atrides.

IX

LES DERNIÈRES PAROLES DE DECIUS MUS

Ce matin, en bouquinant sur les quais, je trouvai
dans la boîte à deux sous un tome dépareillé de Tite-
Live. Comme je le feuilletais au hasard, je tombai
sur cette phrase: « Les débris de l'armée romaine
gagnèrent Canusium à la faveur de la nuit, » et cette 5
phrase me rappela le souvenir de M. Chotard. Or,
quand je pense à M. Chotard, c'est pour un bon
moment. Je pensais encore à lui en rentrant à la
maison, à l'heure du déjeuner. Et, comme j'avais un
sourire aux lèvres, on m'en demanda la cause. 10

— La cause, mes enfants, c'est M. Chotard.

— Quel est ce Chotard qui te fait sourire ?

— Je vais vous le dire. Si je vous ennuie, faites
semblant d'écouter et laissez-moi croire que ce n'est
pas à lui-même que l'entêté conteur conte ses histoires. 15

J'avais quatorze ans et j'étais en troisième. Mon
professeur, qui se nommait Chotard, avait le teint
fleuri d'un vieux moine, et c'en était un.

Frère Chotard, après avoir été une des plus douces
ouailles du bercail de saint François, jeta en 1830 le 20
froc aux orties et prit l'habit des laïques sans réussir
toutefois à le porter avec élégance. Quelle raison eut
frère Chotard d'agir ainsi ? Les uns disent que ce fut
l'amour; les autres disent que ce fut la peur, et qu'a-
près les Trois Glorieuses, le peuple souverain ayant 25

jeté quelques trognons de choux aux capucins de * * *,
le frère Chotard sauta par-dessus les murs du couvent,
pour épargner à ses persécuteurs un aussi gros péché
que de malmener un capucin.

5   Ce bon frère était un savant homme. Il prit ses
grades, donna des leçons et vécut tant et si bien qu'il
grisonnait des cheveux, florissait des joues et rougeo-
yait du nez quand je fus amené avec mes camarades
au pied de sa chaire.

10   Quel belliqueux professeur de troisième nous avions
là! Il fallait le voir, lorsque, texte en main, il con-
duisait à Philippes les soldats de Brutus. Quel courage! quelle grandeur d'âme! quel héroïsme! Mais il
choisissait son temps pour être un héros, et ce temps
15 n'était pas le temps présent. M. Chotard se montrait
inquiet et craintif dans le cours de la vie. On l'effra-
yait facilement.

      Il avait peur des voleurs, des chiens enragés, du
tonnerre, des voitures et de tout ce qui peut, de près
20 ou de loin, endommager le cuir d'un honnête homme.

      Il est vrai de dire que son corps seul demeurait
parmi nous ; son âme était dans l'antiquité. Il vivait,
cet excellent homme, aux Thermopyles avec Léonidas;
dans la mer de Salamine, sur la nef de Thémistocle ;
25 dans les champs de Cannes, près de Paul-Émile ; il
tombait tout sanglant dans le lac Trasimène, où, plus
tard, un pêcheur trouvera son anneau de chevalier romain. Il bravait, à Pharsale, César et les dieux ; il
brandissait son glaive rompu sur le cadavre de Varus,
30 dans la forêt Hercynie. C'était un fameux homme de
guerre.

Résolu à vendre chèrement sa vie sur les bords de
l'Ægos-Potamos et fier de vider la coupe libératrice
dans Numance assiégée, M. Chotard ne dédaignait
nullement de recourir avec les rusés capitaines aux
stratagèmes les plus perfides.   5

— Un des stratagèmes qu'il faut recommander,
nous dit un jour M. Chotard, en commentant un texte
d'Élien, est d'attirer l'armée ennemie dans un défilé et
de l'y écraser sous des quartiers de roc.

Il ne nous dit point si l'armée ennemie avait 10
souvent l'obligeance de se prêter à cette manœuvre.
Mais j'ai hâte d'en venir au point par lequel Chotard
s'illustra dans les esprits de tous ses élèves.

Il nous donnait pour sujet de compositions, tant
latines que françaises, des combats, des sièges, des 15
cérémonies expiatoires et propitiatoires, et c'est en
dictant le corrigé de ces narrations qu'il déployait
toute son éloquence.   Son style et son débit expri-
maient dans les deux langues la même ardeur martiale.
Il lui arrivait parfois d'interrompre le cours de son 20
idée pour nous dispenser des punitions méritées, mais
le ton de sa voix restait héroïque jusque dans ces
incidences; en sorte que, parlant tour à tour avec le
même accent comme un consul qui exhorte ses troupes
et comme un professeur de troisième qui distribue des 25
pensums, il jetait les esprits des élèves dans un
trouble d'autant plus grand qu'il était impossible de
savoir si c'était le consul ou le professeur qui parlait.
Il lui arriva un jour de se surpasser dans ce genre,
par un discours incomparable.   Ce discours, nous le 30
sûmes tous par cœur; j'eus soin de l'écrire sur mon
cahier sans en rien omettre.

Le voici tel que je l'entendis, tel que je l'entends
encore, car il me semble que la voix grasse de M.
Chotard résonne encore à mes oreilles et les emplit
de sa solennité monotone.

DERNIÈRES PAROLES DE DECIUS MUS.

5 Près de se dévouer aux dieux Mânes et pressant déjà de
l'éperon les flancs de son coursier impétueux, Décius Mus
se retourna une dernière fois vers ses compagnons d'armes
et leur dit :

"Si vous n'observez pas mieux le silence, je vous infli
10 gerai une retenue générale. J'entre, pour la patrie, dans
l'immortalité. Le gouffre m'attend. Je vais mourir pour le
salut commun. Monsieur Fontanet, vous me copierez dix
pages de rudiment. Ainsi l'a décidé, dans sa sagesse,
Jupiter Capitolinus, l'eternel gardien de la Ville éternelle.
15 Monsieur Nozière, si, comme il me semble, vous passez
encore votre devoir à M. Fontanet pour qu'il le copie, selon
son habitude, j'écrirai à monsieur votre père. Il est juste
et nécessaire qu'un citoyen se dévoue pour le salut commun.
Enviez-moi et ne me pleurez pas. Il est inepte de rire sans
20 motif. Monsieur Nozière, vous serez consigné jeudi. Mon
exemple vivra parmi vous. Messieurs, vos ricanements
sont d'une inconvenance que je ne puis tolérer. J'informerai
M. le proviseur de votre conduite. Et je verrai, du sein de
l'Elysée, ouvert aux mânes des héros, les vierges de la Répu-
25 blique suspendre des guirlandes de fleurs au pied de mes
images."

J'avais, en ce temps-là, une prodigieuse faculté de
rire. Je l'exerçai tout entière sur les dernières paroles
de Décius Mus, et, quand, après nous avoir donné le
30 plus puissant motif de rire, M. Chotard ajouta qu'il
est inepte de rire sans motif, je me cachai la tête dans
un dictionnaire et perdis le sentiment. Ceux qui

n'ont pas été secoués à quinze ans par un fou rire sous
une grêle de pensums ignorent une volupté.

Mais il ne faut pas croire que j'étais capable seulement
de muser en classe.   J'étais à ma manière un bon
petit humaniste.   Je sentais avec beaucoup de force   5
ce qu'il y a d'aimable et de noble dans ce qu'on appelle si bien les belles-lettres.

J'avais dès lors un goût du beau latin et du beau
français que je n'ai pas encore perdu, malgré les
conseils et les exemples de mes plus heureux contem-   10
porains.   Il m'est arrivé à cet égard ce qui arrive
communément aux gens dont les croyances sont
méprisées.   Je me suis fait un orgueil de ce qui
n'était peut-être qu'un ridicule.   Je me suis entêté
dans ma littérature, et je suis resté un classique.   On   15
peut me traiter d'aristocrate et de mandarin ; mais je
crois que six ou sept ans de culture littéraire donnent
à l'esprit bien préparé pour la recevoir une noblesse,
une force élégante, une beauté qu'on n'obtient point
par d'autres moyens.   20

Quant à moi, j'ai goûté avec délices Sophocle et
Virgile.   M. Chotard, je l'avoue, M. Chotard aidé de
Tite-Live, m'inspirait des rêves sublimes.   L'imagination des enfants est merveilleuse.   Et il passe de
bien magnifiques images dans la tête des petits po-   25
lissons !   Quand il ne me donnait pas un fou rire,
M. Chotard me remplissait d'enthousiasme.

Chaque fois que de sa voix grasse de vieux sermonnaire il prononçait lentement cette phrase: «Les
débris de l'armée romaine gagnèrent Canusium à la   30
faveur de la nuit,» je voyais passer en silence, à la

clarté de la lune, dans la campagne nue, sur une voie
bordée de tombeaux, des visages livides, souillés de
sang et de poussière, des casques bossués, des cuirasses ternies et faussées, des glaives rompus.   Et
5 cette vision, à demi voilée, qui s'effaçait lentement,
était si grave, si morne et si fière, que mon cœur en
bondissait de douleur et d'admiration dans ma poitrine.

X

LES HUMANITÉS

Je vais vous dire ce que me rappellent, tous les ans, le ciel agité de l'automne, les premiers dîners à la lampe et les feuilles qui jaunissent dans les arbres qui frissonnent; je vais vous dire ce que je vois quand je traverse le Luxembourg dans les premiers jours d'octobre, alors qu'il est un peu triste et plus beau que jamais; car c'est le temps où les feuilles tombent une à une sur les blanches épaules des statues. Ce que je vois alors dans ce jardin, c'est un petit bon-homme qui, les mains dans les poches et sa gibecière au dos, s'en va au collège en sautillant comme un moineau. Ma pensée seule le voit; car ce petit bonhomme est une ombre; c'est l'ombre du *moi* que j'étais il y a vingt-cinq ans. Vraiment il m'intéresse, ce petit; quand il existait, je ne me souciais guère de lui; mais, maintenant qu'il n'est plus, je l'aime bien. Il valait mieux, en somme, que les autres *moi* que j'ai eus après avoir perdu celui-là. Il était bien étourdi; mais il n'était pas méchant et je dois lui rendre cette justice qu'il ne m'a pas laissé un seul mauvais sou-venir; c'est un innocent que j'ai perdu: il est bien naturel que je le regrette; il est bien naturel que je le voie en pensée et que mon esprit s'amuse à rani-mer son souvenir.

Il y a vingt-cinq ans à pareille époque, il traversait,

avant huit heures, ce beau jardin pour aller en classe.
Il avait le cœur un peu serré; c'était la rentrée.

Pourtant, il trottait, ses livres sur son dos et sa
toupie dans sa poche.   L'idée de revoir ses cama-
5 rades lui remettait de la joie au cœur.   Il avait tant
de choses à dire et à entendre!   Ne lui fallait-il pas
savoir si Laboriette avait chassé pour de bon dans la
forêt de l'Aigle?   Ne lui fallait-il pas répandre qu'il
avait, lui, monté à cheval dans les montagnes d'Au-
10 vergne?   Quand on fait une pareille chose, ce n'est
pas pour la tenir cachée.   Et puis c'est si bon de
retrouver des camarades.   Combien il lui tardait de
revoir Fontanet, son ami, qui se moquait si gentiment de lui, Fontanet qui, pas plus gros qu'un rat et
15 plus ingénieux qu'Ulysse, prenait partout la première
place avec une grâce naturelle.

Il se sentait tout léger, à la pensée de revoir Fontanet.   C'est ainsi qu'il traversait le Luxembourg
dans l'air frais du matin.   Tout ce qu'il voyait alors,
20 je le vois aujourd'hui.   C'est le même ciel et la
même terre; les choses ont leur âme d'autrefois, leur
âme qui m'égaye et m'attriste, et me trouble; lui
seul n'est plus.

C'est pourquoi, à mesure que je vieillis, je m'in-
25 téresse de plus en plus à la rentrée des classes.

Si j'avais été pensionnaire dans un lycée, le souvenir de mes études me serait cruel et je le chasse-
rais.   Mais mes parents ne me mirent point à ce
bagne.   J'étais externe dans un vieux collège un
30 peu monacal et caché; je voyais chaque jour la rue
et la maison et n'étais point retranché, comme les

pensionnaires, de la vie publique et de la vie privée.
Aussi, mes sentiments n'étaient point d'un esclave;
ils se développaient avec cette douceur et cette force
que la liberté donne à tout ce qui croît en elle. Il
ne s'y mêlait pas de haine. La curiosité y était 5
bonne et c'est pour aimer que je voulais connaître.
Tout ce que je voyais en chemin dans la rue, les
hommes, les bêtes, les choses, contribuait, plus qu'on
ne saurait croire, à me faire sentir la vie dans ce
qu'elle a de simple et de fort. 10

Rien ne vaut la rue pour faire comprendre à un enfant la machine sociale. Il faut qu'il ait vu, au matin,
les laitières, les porteurs d'eau, les charbonniers; il
faut qu'il ait examiné les boutiques de l'épicier, du
charcutier et du marchand de vin; il faut qu'il ait vu 15
passer les régiments, musique en tête; il faut enfin
qu'il ait humé l'air de la rue, pour sentir que la loi du
travail est divine et qu'il faut que chacun fasse sa
tâche en ce monde. J'ai conservé de ces courses du
matin et du soir, de la maison au collège et du collège 20
à la maison, une curiosité affectueuse pour les métiers
et les gens de métier.

Je dois avouer, pourtant, que je n'avais pas pour
tous une amitié égale. Les papetiers qui étalent à la
devanture de leur boutique des images d'Épinal furent 25
d'abord mes préférés. Que de fois, le nez collé contre
la vitre, j'ai lu d'un bout à l'autre la légende de ces
petits drames figurés!

J'en connus beaucoup en peu de temps: il y en
avait de fantastiques qui faisaient travailler mon ima- 30
gination et développaient en moi cette faculté sans

laquelle on ne trouve rien, même en matière d'expériences et dans le domaine des sciences exactes. Il y
en avait qui, représentant les existences sous une
forme naïve et saisissante, me firent regarder pour la
5 première fois la chose la plus terrible, ou pour mieux
dire la seule chose terrible, la destinée. Enfin, je dois
beaucoup aux images d'Épinal.

Plus tard, à quatorze ou quinze ans, je ne m'arrêtai
plus guère aux étalages des épiciers, dont les boîtes de
10 fruits confits pourtant me semblèrent longtemps admi-
rables. Je dédaignai les merciers et ne cherchai plus
à deviner le sens de l'Y énigmatique qui brille en or
sur leur enseigne. Je m'arrêtais à peine à déchiffrer
les rébus naïfs, figurés sur la grille historiée des vieux
15 débits de vin, où l'on voit un coing ou une comète en
fer forgé.

Mon esprit, devenu plus délicat, ne s'intéressait
plus qu'aux échoppes d'estampes, aux étalages de bric-
à-brac et aux boîtes de bouquins.

20 O vieux juifs de la rue du Cherche-Midi! naïfs bouquinistes des quais, mes maîtres, que je vous dois de
reconnaissance! Autant et mieux que les professeurs
de l'Université, vous avez fait mon éducation intellec-
tuelle. Braves gens, vous avez étalé devant mes yeux
25 ravis les formes mystérieuses de la vie passée et toute
sorte de monuments précieux de la pensée humaine.
C'est en furetant dans vos boîtes, c'est en contem-
plant vos poudreux étalages, chargés des pauvres re-
liques de nos pères et de leurs belles pensées, que je
30 me pénétrai insensiblement de la plus saine philosophie.

Oui, mes amis, à pratiquer les bouquins rongés des vers, les ferrailles rouillées et les boiseries vermoulues que vous vendiez pour vivre, j'ai pris, tout enfant, un profond sentiment de l'écoulement des choses et du néant de tout.   J'ai deviné que les êtres n'étaient que des images changeantes dans l'universelle illusion, et j'ai été dès lors enclin à la tristesse, à la douceur et à la pitié.

L'école en plein vent m'enseigna, comme vous voyez, de hautes sciences.   L'école domestique me fut plus profitable encore.   Les repas en famille, si doux quand les carafes sont claires, la nappe blanche et les visages tranquilles, le dîner de chaque jour avec sa causerie familière, donne à l'enfant le goût et l'intelligence des choses de la maison, des choses humbles et saintes de la vie.   S'il a le bonheur d'avoir, comme moi, des parents intelligents et bons, les propos de table qu'il entend lui donnent un sens juste et le goût d'aimer. Il mange chaque jour de ce pain béni que le père spirituel rompit et donna aux pèlerins dans l'auberge d'Emmaüs.   Et il se dit comme eux: «Mon cœur est tout chaud au dedans de moi.»

Les repas que les pensionnaires prennent au réfectoire n'ont point cette douceur et cette vertu.   Oh! la bonne école que l'école de la maison!

Pourtant on entrerait bien mal dans ma pensée si l'on croyait que je méprise les études classiques.   Je crois que, pour former un esprit, rien ne vaut l'étude des deux antiquités d'après les méthodes des vieux humanistes français.   Ce beau mot d'humanités, tout beau qu'il est, n'a pas trop de noblesse pour désigner

les arts qui font un homme, selon l'idée la plus haute
qu'on en puisse concevoir.

Le petit bonhomme dont je vous parlais tout à
l'heure avec une sympathie qu'on me pardonnera peut-
être, en songeant qu'elle n'est point égoïste et que
c'est à une ombre qu'elle va, ce petit bonhomme qui
traversait le Luxembourg en sautant comme un moineau, était, je vous prie de le croire, un assez bon humaniste. Il goûtait, en son âme enfantine, la force
romaine et les grandes images de la poésie antique.
Tout ce qu'il voyait et sentait dans sa bonne liberté
d'externe qui flâne aux boutiques et dîne avec ses parents, ne le rendait point insensible au beau langage
qu'on enseigne au collège. Loin de là: il se montrait
aussi attique et aussi cicéronien, peu s'en faut, qu'on
peut l'être dans une troupe de petits grimauds régie
par d'honnêtes barbacoles.

Il travaillait peu pour la gloire et ne brillait guère
sur les palmarès; mais il travaillait beaucoup pour
que cela l'amusât, comme disait La Fontaine. Ses
versions étaient fort bien tournées et ses discours
latins eussent mérité les louanges même de M. l'inspecteur, sans quelques solécismes qui les déparaient
généralement. Ne vous a-t-il pas déjà conté qu'à
douze ans les récits de Tite-Live lui arrachaient des
larmes généreuses?

Mais c'est en abordant la Grèce qu'il vit la beauté
dans sa simplicité magnifique. Il y vint tard. Les
fables d'Ésope lui avaient d'abord assombri l'âme.
Un professeur bossu les lui expliquait, bossu de corps
et d'âme. Voyez-vous Thersyte conduisant les jeunes

Galates dans les bosquets des Muses? Le petit bon
homme ne concevait pas cela. On croira que son
pédagogue bossu, se vouant spécialement à expliquer
les fables d'Ésope, était admissible dans cet emploi:
non pas! c'était un faux bossu, un bossu géant, sans   5
esprit et sans humanité, enclin au mal et le plus
injuste des hommes. Il ne valait rien, même pour
expliquer les pensées d'un bossu. D'ailleurs, ces
méchantes petites fables sèches, qui portent le nom
d'Ésope, nous sont parvenues limées par un moine 10
byzantin, qui avait un crâne étroit et stérile sous
sa tonsure. Je ne savais pas, en cinquième, leur origine, et je me souciais peu de la savoir; mais je les
jugeais exactement comme je les juge à présent.

Après Ésope, on nous donna Homère. Je vis Thé- 15
tis se lever comme une nuée blanche au-dessus de la
mer, je vis Nausicaa et ses compagnes, et le palmier
de Délos, et le ciel et la terre et la mer, et le sourire
en larmes d'Andromaque.... Je compris, je sentis.
Il me fut impossible, pendant six mois, de sortir de 20
l'*Odyssée*. Ce fut pour moi la cause de punitions
nombreuses. Mais que me faisaient les pensums?
J'étais avec Ulysse «sur la mer violette!» Je dé-
couvris ensuite les tragiques. Je ne compris pas
grand'chose à Eschyle; mais Sophocle, mais Euripide 25
m'ouvrirent le monde enchanté des héros et des héroï-
nes et m'initièrent à la poésie du malheur. A chaque
tragédie que je lisais, c'étaient des joies et des larmes
nouvelles et des frissons nouveaux.

Alceste et Antigone me donnèrent les plus nobles 30
rêves qu'un enfant ait jamais eus. La tête enfoncée

dans mon dictionnaire, sur mon pupitre barbouillé
d'encre, je voyais des figures divines, des bras d'ivoire
tombant sur des tuniques blanches, et j'entendais des
voix plus belles que la plus belle musique, qui se la-
mentaient harmonieusement.

Cela encore me causa de nouvelles punitions. Elles
étaient justes : je m'occupais de choses étrangères à
la classe. Hélas! l'habitude m'en resta. Dans quelque classe de la vie qu'on me mette pour le reste de
mes jours, je crains bien, tout vieux, d'encourir encore
le reproche que me faisait mon professeur de seconde :
« Monsieur Pierre Nozière, vous vous occupez de
choses étrangères à la classe.»

Mais c'est surtout par les soirs d'hiver, au sortir du
collège, que je m'enivrais dans les rues de cette lumière et de ce chant. Je lisais sous les réverbères et
devant les vitrines éclairées des boutiques les vers que
je me récitais ensuite à demi-voix en marchant. L'activité des soirs d'hiver régnait dans les rues étroites
du faubourg, que l'ombre enveloppait déjà.

Il m'arriva bien souvent de heurter quelque patronnet qui, sa manne sur la tête, menait son rêve
comme je menais le mien, ou de sentir subitement à
la joue l'haleine chaude d'un pauvre cheval qui tirait
sa charrette. La réalité ne me gâtait point mon rêve,
parce que j'aimais bien mes vieilles rues de faubourg
dont les pierres m'avaient vu grandir. Un soir, je
lus des vers d'Antigone à la lanterne d'un marchand
de marrons, et je ne puis pas, après un quart de siècle, me rappeler ces vers :

O tombeau! ô lit nuptial! . . .

sans revoir l'Auvergnat soufflant dans un sac de
papier et sans sentir à mon côté la chaleur de la
poêle où rôtissaient les marrons. `Et le souvenir de
ce brave homme ne me gâte point les lamentations
mélodieuses de la vierge thébaine.   5

Ainsi j'appris beaucoup de vers. Ainsi j'acquis
des connaissances utiles et précieuses. Ainsi, je fis
mes humanités.

Ma manière était bonne pour moi; elle ne vaudrait
rien pour un autre. Je me garderais bien de la re- 10
commander à personne.

Au reste, je dois vous confesser que, nourri d'Homère et de Sophocle, je manquais de goût quand
j'entrai en rhétorique. C'est mon professeur qui me
le déclara, et je le crois volontiers. Le goût qu'on a 15
ou qu'on montre à dix-sept ans est rarement bon.
Pour améliorer le mien, mon professeur de rhétorique
me recommanda l'étude attentive des œuvres com-
plètes de Casimir Delavigne. Je ne suivis point sa
recommandation. Sophocle m'avait fait prendre un 20
certain pli que je ne pus défaire. Ce professeur de
rhétorique ne me paraissait point et ne me paraît
point encore un fin lettré; mais il avait, avec un
esprit chagrin, un caractère droit et une âme fière.
S'il nous enseigna quelques hérésies littéraires, il 25
nous montra du moins, par son exemple, ce que c'est
qu'un honnête homme.

Cette science a bien son prix. M. Charron était
respecté de tous ses élèves. Car les enfants appré-
cient avec une parfaite justesse la valeur morale de 30
leurs maîtres. Ce que je pensais, il y a vingt-cinq

ans, de l'injurieux bossu et de l'honnête Charron, je
le pense encore aujourd'hui.

Mais le soir tombe sur les platanes du Luxembourg
et le petit fantôme que j'avais évoqué se perd dans
5 l'ombre.   Adieu, petit *moi* que j'ai perdu et que je
regretterais à jamais, si je ne te retrouvais embelli
dans mon fils!

XI.

LA FORÊT DE MYRTES

I.

J'avais été un enfant très intelligent, mais, vers dix-sept ans, je devins stupide. Ma timidité était telle alors, que je ne pouvais ni saluer ni m'asseoir en compagnie, sans que la sueur me mouillât le front. La présence des femmes me jetait dans une sorte 5 d'effarement. J'observais à la lettre ce précepte de l'*Imitation de Jésus-Christ*, qu'on m'avait appris dans je ne sais quelle basse classe et que j'avais retenu parce que les vers, qui sont de Corneille, m'en avaient semblé bizarres : 10

> Fuis avec un grand soin la pratique des femmes;
> Ton ennemi par là peut savoir ton défaut.
> Recommande en commun aux bontés du Très-Haut
> Celles dont les vertus embellissent les âmes,
> Et, sans en voir jamais qu'avec un prompt adieu, 15
> Aime-les toutes, mais en Dieu.

Je suivais le conseil du vieux moine mystique ; mais, si je le suivais, c'était bien malgré moi. J'aurais voulu voir les femmes avec un adieu moins prompt.

Parmi les amies de ma mère, il en était une auprès 20 de laquelle j'aurais particulièrement aimé me tenir et causer longtemps. C'était la veuve d'un pianiste mort jeune et célèbre, Adolphe Gance. Elle se nom-

mait Alice.   Je n'avais jamais bien vu ni ses cheveux, ni ses yeux, ni ses dents. . . . Comment bien voir
ce qui flotte, brille, étincelle, éblouit? mais elle me
semblait plus belle que le rêve et d'un éclat surnaturel.
5 Ma mère avait coutume de dire qu'à les détailler les
traits de madame Gance n'avaient rien d'extraordinaire.   Chaque fois que ma mère exprimait ce sentiment, mon père secouait la tête avec incrédulité.   C'est
qu'il faisait sans doute comme moi, cet excellent père:
10 il ne détaillait pas les traits de madame Gance.   Et,
quel qu'en fût le détail, l'ensemble en était charmant.
N'en croyez point maman; je vous assure que madame Gance était belle.   Madame Gance m'attirait: la
beauté est une douce chose; madame Gance me fai-
15 sait peur: la beauté est une chose terrible.

Un soir que mon père recevait quelques personnes,
madame Gance entra dans le salon avec un air de
bonté qui m'encouragea un peu.   Elle prenait quelquefois, au milieu des hommes, l'air d'une reine qui jette
20 à manger aux petits oiseaux.   Puis, tout à coup, elle
affectait une attitude hautaine; son visage se glaçait
et elle agitait son mouchoir parfumé, comme pour
chasser au loin le dégoût qui l'enveloppait.   Je ne
m'expliquais pas cela.   Je me l'explique aujourd'hui
25 parfaitement: madame Gance était coquette, voilà
tout.

Je vous disais donc qu'en entrant dans le salon ce
soir-là, elle jeta à tout le monde et même au plus
humble, qui était moi, quelque miette de son sourire.
30 Je ne la quittai point du regard et je crus surprendre
dans ses beaux yeux une expression de tristesse; j'en

fus bouleversé.   C'est que, voyez-vous, j'étais une
bonne créature.   On la pria de jouer au piano.   Elle
joua un nocturne de Chopin : je n'ai jamais rien entendu de si beau.   Je croyais sentir les doigts mêmes
d'Alice, ses doigts longs et blancs, dont elle venait   5
d'ôter les bagues, effleurer mes oreilles d'une céleste
caresse.

Quand elle eut fini, j'allai d'instinct et sans y penser
la ramener à sa place et m'asseoir auprès d'elle.   En
sentant ses parfums je fermai les yeux.   Elle me de-   10
manda si j'aimais la musique ; sa voix me donna le
frisson.   Je rouvris les yeux et je vis qu'elle me regardait ; ce regard me perdit.

— Oui, monsieur, répondis-je dans mon trouble. . . .

Puisque la terre ne s'entr'ouvrit pas en ce moment   15
pour m'engloutir, c'est que la nature est indifférente
aux vœux les plus ardents des hommes.

Je passai la nuit dans ma chambre à m'appeler idiot
et brute et à me donner des coups de poing par le visage.   Le matin, après avoir longuement réfléchi, je ne   20
me réconciliai pas avec moi-même.   Je me disais :
«Vouloir exprimer à une femme qu'elle est belle, qu'elle
est plus que belle, et qu'elle sait tirer du piano des
soupirs, des sanglots et des larmes véritables, et ne
pouvoir lui dire que ces deux mots : *Oui, Monsieur*,   25
c'est être dénué plus que de raison du don d'exprimer
sa pensée.   Pierre Nozière, tu es un infirme, va te
cacher!»

Hélas! je ne pouvais pas même me cacher tout à
fait.   Il me fallait paraître en classe, à table, en pro-   30
menade.   Je cachais mes bras, mes jambes, mon cou,

comme je pouvais. On me voyait encore et j'étais
bien malheureux. Avec mes camarades, j'avais au
moins la ressource de donner et de recevoir des coups
de poing; c'est une attitude, cela. Mais avec les
5 amies de ma mère, j'étais pitoyable. J'éprouvais la
bonté de ce précepte de *l'Imitation* :

> Fuis avec un grand soin la pratique des femmes.

«—Quel conseil salutaire, me disais-je. Si j'avais
fui madame Gance dans cette soirée funeste où, jou-
10 ant un nocturne avec tant de poésie, elle fit passer
dans l'air je ne sais quels frissons; si je l'avais fuie
alors, elle ne m'aurait pas dit: «Aimez-vous la musique?» et je ne lui aurais pas répondu: «Oui, monsieur.»

15 Ces deux mots: «Oui, monsieur,» me tintaient sans
cesse aux oreilles. Le souvenir m'en était toujours
présent ou plutôt, par un horrible phénomène de conscience, il me semblait que, le temps s'étant subitement arrêté, je restais indéfiniment à l'instant où
20 venait d'être articulée cette parole irréparable: «Oui,
monsieur.» Ce n'était pas un remords qui me tortu-
rait. Le remords est doux auprès de ce que je res-
sentais. Je demeurai dans une sombre mélancolie
pendant six semaines, au bout desquelles mes parents
25 eux-mêmes s'aperçurent que j'étais imbécile.

Ce qui complétait mon imbécillité, c'est que j'avais
autant d'audace dans l'esprit que de timidité dans
les manières. D'ordinaire, l'intelligence des jeunes
gens est rude. La mienne était inflexible. Je cro-
30 yais posséder la vérité. J'étais violent et révolutionnaire, quand j'étais seul.

Seul, quel gaillard, quel luron je faisais! J'ai bien
changé depuis lors. Maintenant, je n'ai pas trop
peur de mes contemporains. Je me mets autant que
possible à ma place entre ceux qui ont plus d'esprit
que moi et ceux qui en ont moins, et je compte sur 5
l'indulgence des premiers. Par contre, je ne suis
plus trop rassuré en face de moi-même . . . Mais je
vous conte une histoire de ma dix-septième année.
Vous concevez qu'alors cette timidité et cette audace
mêlées faisaient de moi un être tout à fait absurde. 10

Six mois après l'affreuse aventure que je vous ai
dite, et ma rhétorique étant terminée avec quelque
honneur, mon père m'envoya passer les vacances au
grand air. Il me recommanda à un de ses plus
humbles et de ses plus dignes confrères, à un vieux 15
médecin de campagne, lequel pratiquait à Saint-
Patrice.

C'est là que j'allai. Saint-Patrice est un petit
village de la côte normande qui s'adosse à une forêt
et descend doucement vers une plage de sable, res- 20
serrée entre deux falaises. Cette plage était alors
sauvage et déserte. La mer, que je voyais pour la
première fois, et les bois, dont le calme était si doux,
me causèrent d'abord une sorte de ravissement. Le
vague des eaux et des feuillages était en harmonie 25
avec le vague de mon âme. Je courais à cheval dans
la forêt; je me roulais à demi nu sur la grève, plein
du désir de quelque chose d'inconnu que je devinais
partout et que je ne trouvais nulle part.

Seul tout le jour, je pleurais sans cause; il m'arri- 30
vait quelquefois de sentir tout à coup mon cœur se

gonfler si fort, que je croyais mourir. Enfin, j'éprouvais un grand trouble; mais est-il en ce monde un
calme qui vaille l'inquiétude que je sentais? Non.
J'en atteste les bois dont les branches cinglaient mon
5 visage; j'en atteste la falaise où j'allais voir le soleil
descendre dans la mer, rien ne vaut le mal dont
j'étais alors tourmenté, rien ne vaut les premiers
rêves des hommes! Si le désir embellit toutes les
choses sur lesquelles il se pose, le désir de l'inconnu
10 embellit l'univers.

J'ai toujours eu, avec assez de finesse, d'étranges
naïvetés. J'aurais peut-être ignoré pendant bien des
jours encore la cause de mon trouble et de mes
vagues désirs. Mais un poète me la révéla.

15   J'avais pris aux poètes, dès le collège, un goût que
j'ai heureusement gardé. A dix-sept ans, j'adorais
Virgile et je le comprenais presque aussi bien que si
mes professeurs ne me l'avaient pas expliqué. En
vacances, j'avais toujours un Virgile dans ma poche.
20 C'était un méchant petit Virgile anglais de Bliss; je
l'ai encore. Je le garde aussi précieusement qu'il
m'est possible de garder quelque chose; des fleurs
desséchées s'en échappent à chaque fois que je
l'ouvre. Les plus anciennes de ces fleurs viennent
25 de ce bois de Saint-Patrice où j'étais si heureux et si
malheureux à dix-sept ans.

Or, un jour que je passais seul à l'orée de ce bois,
respirant avec délices l'odeur des foins coupés, tandis
que le vent qui soufflait de la mer mettait du sel sur
30 mes lèvres, j'éprouvai un invincible sentiment de
lassitude, je m'assis à terre et regardai longtemps les
nuages du ciel.

Puis, par habitude, j'ouvris mon Virgile et je lus:
Hic, quos durus amor...

« Là, ceux qu'un impitoyable amour a fait périr en
une langueur cruelle vont, cachés dans des allées
mystérieuses, et la forêt de myrtes étend son ombrage 5
alentour... »

« Et la forêt de myrtes étend son ombrage... »
Oh! je la connaissais cette forêt de myrtes; je l'avais
en moi tout entière.   Mais je ne savais pas son nom.
Virgile venait de me révéler la cause de mon mal. 10
Grâce à lui, je savais que j'aimais.

Mais je ne savais pas encore qui j'aimais.   Cela me
fut révélé l'hiver suivant, quand je revis madame
Gance.   Vous êtes sans doute plus perspicace que je
ne fus.   Vous l'avez deviné, c'est Alice que j'aimais. 15
Admirez cette fatalité! J'aimais précisément la femme
devant laquelle je m'étais couvert de ridicule et qui
devait penser de moi pis même que du mal.   Il y
avait de quoi se désespérer.   Mais alors le désespoir
était hors d'usage; pour s'en être trop servi, nos 20
pères l'avaient usé.   Je ne fis rien de terrible ni de
grand.   Je ne m'allai point cacher sous les arceaux
ruinés d'un vieux cloître, je ne promenai point ma
mélancolie dans les déserts; je n'appelai point les
aquilons.   Je fus seulement très malheureux et passai 25
mon baccalauréat.

Mon bonheur même était cruel : c'était de voir et
d'entendre Alice et de penser : « Elle est la seule
femme au monde que je puisse aimer; je suis le
seul homme qu'elle ne puisse souffrir.   Quand elle 30
déchiffrait au piano, je tournais les pages en regar-

dant les cheveux légers qui se jouaient sur son cou
blanc.   Mais, pour ne pas m'exposer à lui dire encore une fois; « Oui, monsieur, » je fis le vœu de ne
lui plus adresser la parole.   Des changements sur-
5 vinrent bientôt dans ma vie et je perdis Alice de
vue sans avoir violé mon serment.

II

J'ai retrouvé madame Gance aux eaux, dans la montagne, cet été.   Un demi-siècle pèse aujourd'hui sur
la beauté qui me donna mes premiers troubles, et les
10 plus délicieux.   Mais cette beauté ruinée a de la
grâce encore.   Je me relevai moi-même en cheveux
gris du vœu de mon adolescence :

— Bonjour, madame, dis-je à madame Gance.

Et, cette fois, hélas! l'émotion des jeunes années ne
15 troubla ni mon regard ni ma voix.

Elle me reconnut sans trop de peine.   Nos souvenirs nous unirent et nous nous aidâmes l'un l'autre
à charmer par des causeries la vie banale de l'hôtel.
Bientôt des liens nouveaux se formèrent d'eux-
20 mêmes entre nous, et ces liens ne seront que trop
solides : c'est la communauté des fatigues et des
peines qui les forme.   Nous causions tous les matins,
sur un banc vert, au soleil, de nos rhumatismes et de
nos deuils.   C'était matière à longs propos.   Pour
25 nous divertir, nous mélangions le passé au présent.

— Que vous fûtes belle, lui dis-je un jour, madame,
et combien admirée !

Il est vrai, me répondit-elle en souriant. Je puis le dire, maintenant que je suis une vieille femme; je plaisais. Ce souvenir me console de vieillir. J'ai été l'objet d'hommages assez flatteurs. Mais je vous surprendrais bien si je vous disais quel est, de tous les 5 hommages, celui qui m'a le plus touchée.

— Je suis curieux de le savoir.

—Eh bien, je vais vous le dire. Un soir (il y a bien longtemps), un petit collégien éprouva en me regardant un tel trouble qu'il répondit: *Oui, monsieur!* à une 10 question que je lui faisais. Il n'y a pas de marque d'admiration qui m'ait autant flattée et mieux contentée que ce «Oui, monsieur!» et l'air dont il était dit. Je ne sais ce qui m'a retenue d'embrasser ce gamin-là sur les deux joues. 15

L'OMBRE

Il m'arriva, dans ma vingtième année, une aventure extraordinaire. Mon père m'ayant envoyé dans le bas Maine pour régler une affaire de famille, je partis un après-midi de la jolie petite ville d'Ernée pour aller, à sept lieues de là, visiter, dans la pauvre paroisse de Saint-Jean, la maison, maintenant déserte, qui abrita pendant plus de deux cents ans ma famille paternelle. On entrait en décembre. Il neigeait depuis le matin. La route, qui cheminait entre des haies vives, était défoncée en beaucoup d'endroits, et nous avions grand peine, mon cheval et moi, à éviter les fondrières.

Mais, à cinq ou six kilomètres de Saint-Jean, je la trouvai moins mauvaise, et, malgré un vent furieux qui se leva et la neige qui me cinglait le visage, je pris le galop. Les arbres qui bordaient la route fuyaient à mes côtés comme des ombres difformes et doulou-reuses dans la nuit. Ils étaient horribles, ces arbres noirs, la tête coupée, couverts de tumeurs et de plaies, les bras tordus. On les nomme dans le bas Maine des émousses. Ils me faisaient une sorte de peur, à cause de ce qu'un vicaire de Saint-Marcel d'Ernée m'avait conté la veille. Un de ces arbres, m'avait dit le vicaire, un de ces vieux mutilés du Bocage, un châ-taignier étêté depuis plus de deux cents ans et creux comme une tour, fut fendu du haut en bas par la

foudre, le 24 février 1849. Alors, à travers la fente,
on vit dedans un squelette d'homme qui se tenait tout
debout, ayant à son côté un fusil et un chapelet. Sur
une montre trouvée aux pieds de cet homme, on lut le
nom de Claude Nozière. Ce Claude, grand oncle de
mon père, fut en son vivant contrebandier et brigand.
En 1794, il prit part à la chouannerie, dans la bande
de Treton, dit Jambe-d'Argent. Blessé grièvement,
poursuivi, traqué par les bleus, il alla se cacher et
mourir dans le creux de cet émousse. Ni amis ni 10
ennemis ne surent ce qu'il était devenu; et c'est un
demi-siècle après sa mort que le vieux chouan fut ex·
humé par un coup de tonnerre.

Je songeais à lui, en voyant fuir les émousses des
deux côtés du chemin, et j'allongeais l'allure de mon 15
cheval. Il était nuit noire, quand j'arrivai à Saint-
Jean.

J'entrai dans l'auberge, dont l'enseigne faisait grincer tristement sa chaîne au vent, dans l'ombre. Et,
après avoir conduit moi-même mon cheval à l'écurie, 20
j'entrai dans la salle basse et me jetai dans un vieux
fauteuil à oreilles, au coin de la cheminée. Tandis
que je me réchauffais ainsi, je pus voir, à la clarté de
la flamme, le visage de mon hôtesse. C'était celui
d'une horrible vieille. Sur sa face, déjà couverte d'un 25
peu de terre, on ne voyait qu'un nez rongé et des yeux
morts dans des paupières sanglantes. Elle m'examinait avec défiance, comme un étranger. C'est pourquoi je lui dis, pour la rassurer, mon nom qu'elle devait bien connaître. Elle répondit, en secouant la 30
tete, qu'il n'y avait plus de Nozière. Pourtant, elle

voulut bien m'apprêter à souper.   Elle jeta un fagot
dans l'âtre et sortit.

J'étais triste et las, et tourmenté d'une angoisse indicible.   Des images sombres et violentes venaient
5 m'assaillir.   Je m'assoupis un moment; mais, dans
mon demi-sommeil, je continuai d'entendre dans la
trémie les gémissements du vent dont les rafales sou-
levaient sur mes bottes les cendres du foyer.

Quand, au bout de quelques minutes, je rouvris les
10 yeux, je vis ce que je n'oublierai jamais, je vis distinctement, au fond de la chambre, sur le mur blanchi
à la chaux, une ombre immobile ; c'était l'ombre d'une
jeune fille.   Le profil en était si doux, si pur et si
charmant, que je sentis, en le voyant, toute ma fatigue
15 et toute ma tristesse se fondre en un sentiment délicieux d'admiration.

Je la contemplai, ce me semble, pendant une minute;
il se peut toutefois que mon ravissement ait été plus
ou moins long, car je n'ai aucun moyen d'en estimer
20 la véritable durée.   Je tournai ensuite la tête pour
voir celle qui faisait une si belle ombre.   Il n'y avait
personne dans la chambre. . . personne que la vieille
cabaretière occupée à mettre une nappe blanche sur la
table.

25 De nouveau je regardai le mur: l'ombre n'y était
plus.

Alors quelque chose comme une peine d'amour me
prit le cœur, et la perte que je venais de faire me
désola.

30 Je réfléchis quelques instants, avec une entière lucidité, puis:

— La mère! dis-je, la mère! qui donc était là, tout
à l'heure?

Mon hôtesse, surprise, me dit qu'elle n'avait vu personne.

Je courus à la porte. La neige, qui tombait abon- 5
damment, couvrait le sol, et aucun pas n'était marqué
dans la neige.

—La mère! vous êtes sûre qu'il n'y a point une
femme dans la maison?

Elle répondit qu'il n'y avait qu'elle.   10

— Mais cette ombre m'écriai-je?

Elle se tut.

Alors je m'efforçai de déterminer, a'après les prin-
cipes d'une exacte physique, la place du corps dont
j'avais vu l'ombre, et, montrant du doigt cette place; 15

— Elle était là, là, vous dis-je. . .

La vieille s'approcha, une chandelle à la main, et
arrêta sur moi ses horribles yeux sans regard, puis:

—Je vois, à cette heure, dit-elle, que vous ne me
trompez pas, et que vous êtes bien un Nozière. Seri- 20
ez-vous point le fils à Jean, le docteur, de Paris? J'ai
connu son oncle, le gars René. Il voyait, lui aussi,
une femme que personne ne voyait. Il faut croire
que c'est une punition de Dieu sur toute la famille
pour la faute de Claude le chouan, qui perdit son âme. 25

—Parlez-vous, lui dis-je, de Claude, dont le squelette
fut trouvé dans le tronc creux d'un émousse, avec un
fusil et un chapelet?

— Mon jeune monsieur, le chapelet ne lui servit de
rien. Il s'était damné pour une femme.   30

La vieille ne m'en dit pas davantage. Je pus à

peine goûter le pain, les œufs, le lard et le cidre qu'elle
me servit. Mes yeux se tournaient sans cesse vers
le mur où j'avais vu l'ombre. Oh ! je l'avais bien
vue ! Elle était fine et plus nette que n'aurait dû l'être
5 une ombre produite naturellement par la clarté tremblante de l'âtre et la flamme fumeuse d'une chandelle.

Le lendemain je visitai la maison déserte où vé-
curent en leur temps Claude et René ; je parcourus le
pays, j'interrogeai le curé ; mais je n'appris rien qui
10 pût me faire connaître la jeune fille dont j'avais vu
l'ombre.

Aujourd'hui encore, je ne sais s'il faut en croire la
vieille cabaretière. Je ne sais si quelque fantôme
visitait, dans l'âpre solitude du Bocage, les paysans
15 dont je sors, et si l'Ombre héréditaire, qui hantait
mes aïeux farouches et mystiques, ne s'est pas montrée
avec une grâce nouvelle à leur enfant rêveur.

Ai-je vu dans l'auberge de Saint-Jean le démon
familier des Nozière, ou plutôt ne me fut-il pas an-
20 noncé, dans cette nuit d'hiver, que ma part des choses
de ce monde serait la meilleure, et que l'indulgente
nature m'avait accordé le plus cher de ses dons, le don
des rêves ?

FIN.

NOTES

NOTES

The heavy figures refer to pages ; the light figures to lines.

2. — 6. **papier vert à ramages,** *green flowered wall paper.*

9. **rivière noire,** reference to an episode of the famous novel of Bernardin de St. Pierre, *Paul et Virginie* (1788). The scene is laid in the island of Mauritius or Isle de France, east of Madagascar.

29. **portant balais . . .** The omission of the partitive *des* is permissible in enumerations of this kind.

3. — 1. **ils se coulaient,** *they slipped.*

4. **visiblement,** *obviously.*

7. **je veillais,** *I remained awake.*

14. **quel dormeur tu fais,** *what a sleeper you are!* Idiomatic use of *faire.*

16. **les quais,** the quays of the Seine, on which there are long rows of booths where old books, etchings, autographs, etc., are sold. The most frequented section of the quays is on the left shore between the Boulevard St. Michel and the palace of the Institute. That is where the author lived. See page 79.

18. **Le Lorrain Callot,** Jacques Callot, 1593–1635, from Nancy, capital of the province of Lorraine, was an etcher and engraver famous for the weird and realistic character of his designs. He left interesting documents on soldiers and war scenes of his time.

4. — 8. **voisiner,** *to be neighborly.*

9. **goûter.** The *goûter* is a luncheon that people, mostly children, take in the afternoon, about 4 o'clock.

5. — 2. **l'Arc de Triomphe:** *l'Arc-de-Triomphe de l'Étoile* is a monument erected at the terminus of the Champs-Élysées to commemorate the wars of Napoleon. Its erection was decreed by Napoleon in 1806 but it was not dedicated before 1836. It bears the names of 386 generals who figured in the wars of the Republic and the Empire.

11. **nous faisions bon ménage,** *we lived on good terms.*

26. **Sa mère n'a que celui-là,** *he is the only child.*

31. **il ouvre ... portes cochères,** colloquialism very frequently used.

6. — 19. **il n'eût tenu** etc., *it would have depended only on him to.*

7. — 11. **Mais voilà,** *but the trouble was.*

25. **quai Malaquais.** This is the quay of the Seine where the author was born.

31. **A la façon dont,** *from the manner in which.*

8. — 4. **Deux Magots,** a department store no longer in existence, which was on the corner of the Boulevard St. Germain and the Rue de Rennes.

11. **causeuse,** a small sofa for two persons so arranged that they face each other.

9. — 14. **C'était bien fait,** *it served him right.*

16. **papier de tenture,** *paper hangings.*

10. — 11. **remis,** *reconciled.*

11. — 11. **à huis clos,** *behind closed doors,* a legal expression. *Huis,* from the Latin *ostium,* is obsolete; from that word comes *huissier.*

21. **hôtel,** means often a private dwelling or mansion.

12. — 2. **la guerre:** *la guerre,* in French books written after 1870, means always the Franco-Prussian war of 1870–71.

14. — 8. **sentait la peinture,** *smelled of paint.*

19. **petit bêta,** *little fool.* — **qui raccommodait les choses,** *which set things aright.*

15. — 2. **aux enfants d'Édouard.** See page 16, 21.

15. **la Méduse.** A French ship that was wrecked on the west coast of Africa on July 2, 1816. One hundred and forty-nine passengers of the Medusa took refuge on a raft. Twelve days afterwards, when they were rescued, fifteen only remained, the others having been eaten up by their companions or gone to the bottom of the sea. This shipwreck has been immortalized in a famous painting by Géricault (1819), which is now at the Louvre.

17. **Méridional,** *Southerner.* The south of France is called *le midi.*

16. — 21. **Oncle Richard.** The subject of the murder of the princes in the tower by their uncle Richard of York was made popular in France at the beginning of the nineteenth century by a famous painting of Paul Delaroche (1831), now at the Louvre, and by a drama of Casimir Delavigne, *Les Enfants d'Édouard* (1833). The special cut of hair of the two children in Delaroche's picture became the fashion for young people.

17. — 4. **Île Saint-Louis,** an island in the Seine east of the *Cité.* It is connected by bridges with both shores of the Seine and with the part of the *Cité* where stands the church Notre Dame and is a quiet and retired section of Paris containing some old mansions.

6. **me faisait grise mine,** *frowned sullenly upon me.* This idiom is used generally in speaking of persons, not things.

26. **féconde,** because it fills nature with ghosts of its own creation.

18. — 12. **Ici,** *Come here!* (speaking to a dog).

19. — 1. **Dis donc . . . vous savez.** Note the childlike confusion of the second person singular and the second person plural. This way of speaking is common among illiterate people in Belgium.

20. — 24. **armoire à glace,** *wardrobe with a mirror,* a very common piece of furniture in French houses.

21. — 3. **cartons,** *pasteboard boxes.*

10. **partant,** *consequently.* Compare La Fontaine's *les Animaux malades de la peste* L. VII fable I.

> Les tourterelles se fuyaient :
> Plus d'amour, partant plus de joie !

17. **shako,** a stiff high military cap with a peak in front and usually a pompon at the front part of the flat crown : still used in France and in some regiments of the United States.

20. **chinés,** so called because the method of weaving the threads so as to make special designs came from China: speckled.

22. — 3. **ruisseaux,** *gutters.*

6. **force :** here an adverb of quantity meaning *many.* This use is literary rather than conversational.

11. **fables de la Fontaine.** All French children memorize the fables of La Fontaine at home and in school. The popularity of these fables began in the XVIIth century during La Fontaine's life. See the little girl Louison in *le Malade Imaginaire* by Molière offering to recite *le Corbeau et le Renard* Acte II, Sc. XI.

29. **aiguille.** Here the hand of a dial.

23. — 4. **garde-manger en surplomb.** Reference to the disposition of French houses where the pantry on each floor stands out overhanging the court and thus shuts out the light from the narrow inner space. Translate: 'five stories of overhanging pantries.'

9. **panier de laiton.** A familiar picture to those who have lived in Parisian houses.

14. **satyre,** *Satyr,* a woodland deity depicted as a creature with goatlike ears, pug-nose, short tail, and budding horns, and delighting in music, dancing, etc.

27. **savon de Marseille,** a rough, common soap, manufactured in Marseilles and used for kitchen and laundry purposes.

24. — 7. **Bible en estampes,** a Bible composed merely of pictures accompanied by brief inscriptions.

25. — 8. **Fontainebleau,** a small town in the department of Seine-et-Marne, south of Paris, famous for its palace of Francis I, its forest and its grapes.

28. **Tant il est vrai que . . .** *So true it is that.*

27. — 6. **étourderies,** *thoughtlessness.* — **Ineffable,** from the Latin *in* (negative) and *fari* to speak, has here its strict etymological meaning.

29. — 16. **sport-boy:** this pseudo-English word is not generally used in French. It seems coined from the word *sportsman.*

19. **pli** here means the habit or bent acquired through a long practice of one occupation. One says: *Il a le pli du métier; le pli du bureau* is the special habit of a man who does clerical work in an office. Compare *pli* in his ordinary sense of *plait*, fold of a cloth, a dress.

> Elle avait pris ce pli dans son âge enfantin.
> —V. Hugo (*Les Contemplations*).

23. **jouer au voleur, au naufrage . . .** *To play thief, shipwreck.*

30. — 4. **parler marine,** *to talk navy,* i. e. *to talk about naval subjects.* Compare other expressions like: *parler musique, littérature,* etc.

31. — 2. **bornée,** *stupid.*

6. **étude,** the study room in boarding schools.

22. **en-tout-cas,** *sunshade,* a parasol that may be used as an umbrella in case of rain. Somewhat obsolete.

23. **n'avaient point voiture :** *n'avaient point de voiture* would be a less affected expression. Compare the more natural form : *Il a cheval et voiture.*

25. **Réaliser** in French means only *to convert into money.* The common English meaning would be rendered by, *se rendre compte.*

26. **Bade,** Baden-Baden or Baden; a small city of the grand duchy of Baden, Germany. It is a famous watering place and used to be one of the great gambling resorts of Europe.

27. **martingale infaillible,** *an infallible method for winning.*
Often it refers to a special gambling custom called 'double or
quits.' — **Joua gros jeu,** *he played high.*

28. **à l'effet de,** *in order to;* a somewhat formal substitute for
pour or *afin de...*

31. **Brie,** a small section of the province of Champagne
around Meaux and Château-Thierry.

32. — 5. **aux Chambres,** *to the Chamber of Deputies and the
Senate.* — **l'Institut.** The name given to the reunion of the
five Academies : Académie Française, Académie des Sciences,
Académie des Sciences morales et politiques, Académie des
Inscriptions et Belles Lettres, Académie des Beaux-Arts.

12. **Pour . . . était,** *However much of a girl she was.* *Pour*
followed by an adjective and *que* with either subjunctive or in-
dicative is a literary use borrowed from the 17th century.

35. — 4. **Littré (Émile)** 1801–1881, a famous philologist and
philosopher, is the author of a great dictionary in five volumes :
Dictionnaire de la langue française, which is a universally
acknowledged authority on the French language. Littré's life
was one of absolute devotion to science. His philosophic
ideas came near preventing his election into the French
Academy. He was a positivist.

20. **Nozière :** the name that Anatole France gives to his
family in all his references to it. See his book entitled : *Pierre
Nozière.*

36. — Le **Jardin des Plantes** or **Muséum d'Histoire naturelle**
is an old and important zoological garden of Paris, on the left
bank of the Seine. It was founded in 1635 as a garden of medi-
cinal herbs, and rapidly developed into a very complete collection of natural history. Buffon was put at its head in the year
1731. To-day the museum of natural history is also a school
for natural science with lectures by the greatest scholars.

37. — 1. **comment . . . s'y prenaient,** *how they proceeded, set
about.*

7. **je m'en tins,** *I was content with, I confined myself to.*

13. **Siméon Stylite,** *Simeon Stylites,* a Syrian ascetic died in 459; is said to have lived twenty six years on top of a pillar.

28. **Saint Nicolas de Patras.** A bishop of Myra, Lycia in Asia Minor, became a patron saint of the Roman and Greek Churches. His day is the 6th of December. A story relates that he gave a dowry to three daughters of a poor nobleman, making his gifts mysteriously and during the night. Hence the Christmas tradition of St. Nicholas in some countries and Santa Claus (corruption of Nicholaus) in others. He was born in Patra, about 300 A. D.

38. — 3. **Saint Benoît Labre** (1748–1783), a Carthusian monk, born in the northern part of France, who lived on alms and spent his life in utter destitution, begging at the doors of churches. He is remembered in the imaginations of the people as a man who considered uncleanliness a virtue and reached saintliness by violating all the rules of hygiene and decency.

17. **les fils de Saint François,** *the sons of St. Francis,* or members of the Franciscan order. They wear on penitential days an undergarment, or shirt, of haircloth as a means of mortifying the flesh.

24. **Antoine** = Saint Anthony (251–356), a famous anchorite who lived for many years in the desert of Egypt. — **Jerôme** (340–420) was a Latin Father who prepared the translation of the Bible known as Vulgate.

27. **labyrinthe:** This name is given to a small hill at the north western part of the garden.

29. **Saint Paul l'Ermite** was another anchorite who, like St. Anthony, lived in the desert of Thebaid in Egypt. He died in 341 A. D.

39. — 4. **Marie l'Égyptienne** was born in Egypt in the fifth century. After many years spent in dissipation she is said to have become a convert and gone to the desert where she remained forty-seven years, performing miracles.

23. **cèdre du Liban.** The cedars of Lebanon (Syria) are

famous. A naturalist of the eighteenth century, Bernard de Jussieu brought one back from Syria and planted it in the *Jardin des Plantes* where it is still.

40. — 2. coco, a popular and cheap drink sold in the streets of Paris. It is prepared from licorice juice.

21. **A ce coup,** *this time.* *Coup* has often the sense of *fois.*

41. — 4. Yvetot is a little town near Rouen. In the fourteenth, 15th and 16th centuries the lords of that little county had the title of king. Little is known of them. — **Le roi d'Yvetot** has become popular however through a famous song of Béranger written in 1813 and to which reference is made here. We give the first stanza :

> Il était un roi d'Yvetot,
> Peu connu dans l'histoire ;
> Se levant tard, se couchant tôt,
> Dormant fort bien sans gloire,
> Et couronné par Jeanneton
> D'un simple bonnet de coton,
>   Dit-on.
> Oh ! oh ! oh ! oh ! ah ! ah ! ah ! ah !
> Quel bon petit roi c'était là !
>   La, la.

42. — 1. Henri Heine (1797-1856), was a great German poet and writer who spent much of his time in Paris where he died. See Heinrich Heine's *Gesammelte Werke*, 1887, vol. VII, page 387, where occurs the passage here referred to.

22. **Dusseldorf,** a town of Prussia, on the Rhine, 213,711 inhabitants, where Heine was born.

43. — 2. ecrivailler. The ending *ailler* gives a derogatory meaning to the word *écrire* = to scrible.

30. **catalogue, cataloguer,** *index, to index.*

44. — 13. chaussées from *chausser,* to put on one's shoes (*chaussures*) is here used in the simple meaning of *placed* (on the end of his nose). In this sense it applies only to spectacles.

15. **douillette,** a soft wadded garment, worn by priests.

45. — 2. **jardin . . . curé**, a little garden like that which surrounds ordinarily a parsonage

13. **de force à**, *capable of*, *equal to;* ironical.

14. **Bouvard** is a character of G. Flaubert's posthumous novel *Bouvard et Pécuchet*, in which the author shows two foolish old bachelors indulging in all sorts of silly fads and pastimes, under the pretext of acquiring knowledge.

15. **Latude** (1725–1805) was a French nobleman who, after a quarrel with Mme. de Pompadour was shut up in the Bastille, where he remained thirty-six years. His story of his captivity and of his escapes was very widely read at the beginning of the nineteenth century.

16. **poires d'angoisse**, *gags* used in the prisons of the old régime when the methods of torture were still in vogue.

29. **qui entendait à sa façon**, *who had his way of understanding.*

46. — 7. **licence**, taken here in its etymological meaning of *permission*, which is rare to-day although common in classical French.

16. **fiches**, slips of paper or cardboard like those used in card catalogues. Scholars make great use of them for notes.

21. **Placards.** Here a technical, printer's term: *galley-proofs*, which means proofs printed on one side without pagination.

22. **pour le coup**, *now, this time.*

47. — 17. **Hôtel Drouot**, name given to the building where all the great auction sales of Paris take place. It is in the rue Drouot in the centre of Paris.

18. **Bastille**, the famous prison fortress in which so many victims of despotism of the old Régime had been incarcerated was destroyed by a popular uprising July 14, 1789. **Pierre François Palloy**, (1754–1835) who called himself and was called "le patriote Palloy" was an architect and contractor when the Revolution broke out. He was one of those who stormed the Bastille. Afterwards he was officially chosen to tear down the walls of the old fortress and with the stone he carved busts or

statues of the revolutionary heroes as well as reproductions of the Bastille.

48. — 21. **en quelque chose,** *to a certain extent.*

50. — 6. **Oh ! . . dormir.** *How little she looked like some one who is asleep.*

31. **plein de feux,** *full of red spots, burning.* This expression is poetic and affected.

51. — 3. **lettres bordées de noir.** These letters are called *lettres de faire part.* They notify all acquaintances of a death that has occurred in the family.

18. **pèlerins d'Emmaüs.** Reference to the disciples of Christ who, while going to the village of Emmaüs, near Jerusalem, after the death of their master, are said to have had a vision of Jesus walking by their side. According to Luke XXIV. 29, they said to him, "Abide with us, for it is toward evening and the day is far spent." After taking supper with them "he vanished out of their sight."

52. — 23. **Il y paraissait bien,** *it was easy to see.* Note that *il* is impersonal.

27. **Papous,** *Papuans,* natives of New Guinea and other islands of Oceanica. **Boschimans,** *Bushmen,* an aboriginal race of South Africa. Both races are considered as being among the lowest types of the human family.

30. **Cabanis,** physician and philosopher was one of the advocates of materialism. He wrote a book entitled: *Rapports du physique et du moral de l'homme.*

53. — 1. **Dauphin,** eldest son of the King of France. The name comes from Dauphiné, the province that was ceded to France in 1349.

2. **Luciennes,** known also as *Louveciennes,* is a little village near Versailles.

4. **Jean-Jacques,** familiar abbreviation for Jean-Jacques Rousseau, the great writer and philosopher whose theories on social

equality and the return to nature had such a deep influence on the men and women of his time, 1712–1778.

17. **Miseris succurrere disco.** Latin maxim: *I learn to assist the unfortunate*.

25. **on lui guillotinait.** Note this use of the ethical dative.

27. **modérantisme:** *conservatism*, a political term applied to the revolutionists who were considered too moderate in their opinions. **comité,** a revolutionary committee which hunted up all those who were considered hostile to the *Comité de Salut Public*.

28 **Sèvres,** a little town on the Seine near Versailles. It has a famous porcelain manufactory. **Récollets,** monks belonging to the Franciscan order and following a very strict rule. There were many convents of Récollets before the Revolution.

54. — 1. **Locke,** (1632–1704), one of the most celebrated English philosophers. His principal work, *Essay concerning human understanding* (1690) was the foundation of what philosophers call the " sensational" doctrine.

7. **Helvetius** (1715–1771), was one of the materialistic philosophers of the 18th century.

12. **Femme sensible:** the epithet *sensible* was in common use in the 18th century at the approach of the Revolution, when everybody claimed to be sensitive to the woes of humanity.

20. **Constitution,** the constitution of 1791 enacted by the *Assemblée Constituante*. It was the first Constitution that France ever had and Louis XVI had sworn to defend it.

22. **Jacobin,** a member of the revolutionary club that used to hold its meetings in the hall of the former Jacobin convent in the rue Saint-Honoré. The members of that club advocated or supported all the violent measures taken by the Revolution including the acts of Danton, Robespierre and Marat. Hence the word applied and still applies to-day to narrow minded and fanatical republicans.

55.—7. **Haut-Rhin,** until 1870 a department of France; now represented by the southern part of Alsace-Lorraine. The principal town is Colmar.

13. **à la nation,** was a common expression used during the revolution by enthusiastic citizens and applied to everything. The bouquets *à la nation* were composed of the three colors; the *coiffure à la nation* was adorned with a tricolor cockade.

19. **d'un sien frère,** *of a brother of his*; *sien* in this phrase is used as an adjective. Although given by Littré as familiar this use is rare and affected in conversation.

25. **visite domiciliaire,** *house search.*

29. **Elle . . . temps.** Compare La Fontaine's *Le Coche et la Mouche:* "Il prenait bien son temps."

56. — 4. **une ligne de là:** the expression *çà et là* is not usually broken up in this way.

5. **picorait,** *picked.* This word applies mostly to fowls, that pick up their food right and left.

9. **à brassée,** *in her two arms.* Uncommon idiom.

14. **Comité de Sureté Générale :** one of the important committees organized by the Convention; had charge of all that referred to the police and had to seek all those who were considered suspicious.

21. **tu.** The revolutionists, especially among the people, took pleasure in using the *thee* form with every one.

58. — 10. **sans-culotte:** name given to the common people who did not wear breeches like the aristocracy but trousers falling half way down the legs. **ça ira.** See page 61. [10].

22. **doigts.** Translate by 'drops.' This is a common idiom easy to account for.

59. — 7. **à la régalade,** to drink without letting the bottle touch the lips, by pouring the liquid into the mouth.

18. **ruelle,** *wall-side* (of a bed), more exactly the space between the bed and the wall. In the 17th century ruelle was a bed room where ladies received visitors. It is antiquated in both meanings.

26. **j'ai pensé** = *j'ai failli,* I came near.

28. **Vertubleu** an obsolete oath, corruption of the words *Vertu de Dieu.* Translate by : 'Goodness ! bless me ! zounds.'

60. — 1. **Elle l'alla cacher.** It would be better to-day to place the pronoun *le* before the infinitive. Note here as above *j'ai pensé m'évanouir* an imitation of the 17th century style.

2. **Meudon,** a small town between Paris and Versailles, on the Seine. It has one of the most attractive parks in the suburbs of Paris.

23. **Chanoinesse,** *canoness :* a member of a community of women living under a rule but not obliged to make any vows to renounce the world. **chapitre séculier de l'Argentière :** The chapter was called secular because the members were allowed to keep their property and to go back to the world to get married. *L'Argentière* was a chapter near Lyon.

24. **établissement dans le monde** = *marriage.* This was a common expression during the old régime when daughters of noble families would become members of a chapter while waiting for some one to marry them.

61. — 10. **Ça ira.** These words are the title and enter in the refrain of a famous and violent revolutionary song composed in 1790. We give the most famous part of it which has been adopted to-day by socialists in changing *aristocrates* into *bourgeois.*

> Ah ! ça ira, ça ira, ça ira, ça ira,
> Les aristocrates à la lanterne,
> Ah ! ça ira, ça ira, ça ira, ça ira,
> Les aristocrates on les pendra.

20. **Robespierre,** (1758–1794) was the most prominent member of the *comité de salut public* and was responsible for many of the excesses of the reign of terror. His very name symbolizes all the crimes of that period. He was executed in his turn on the 9th thermidor.

23. **9 and 10 thermidor,** 27th to 28th of July, 1794, in the Revolutionary calendar. The 9th thermidor marks the end of the reign of terror.

28. **Luxembourg,** a palace of Paris now occupied by the French Senate. It was erected between 1615 and 1626 for Marie

de Medicis, the widow of Henri IV. After being inhabited by different princes it was turned into a prison by the Convention.

30. **quai des Orfèvres,** quay of the Seine; the *palais de justice,* on one of its sides, opens on it. **Commune,** a revolutionary committee that originated on August 10, 1792 and took the place of the municipality. It lasted until Thermidor (July, 1794).

62. — 4. **Hanriot** was at the head of the military forces of the Commune. He tried to save Robespierre but was executed with him.

22. **esprit fort,** expression applied to people who think freely on all matters of religion and do not accept all the dogmas and beliefs of the majority of their fellows. The word is used in a sarcastic and hostile sense.

26. **Pour ... était:** Note this use of *pour* in the sense of "*quelque ... que,*" "*quoique.*" — *However much of a sceptic she was.* See page 32, 12.

27. **Loup-garou,** *werewolf.* It was thought to be a human being turned into a wolf that wandered at night through the country.

29. **almanach:** *prediction;* old meaning used only in this idiom.

> *Il ne faut pas faire d'almanachs.*
>   (Mme. de Sévigné.)

63. — 10. **bleue.** The supporters of the revolution were called *les bleus* while the royalists were *les blancs.* These distinctions still obtain in the country sections of France, especially in Britanny.

11. **comme a dit l'autre,** *as some one said.* 'L'autre' in this meaning and in this phrase is a common idiom.

17. **Abensberg** is a little town of Bavaria where Napoleon defeated the Austrians, April 20, 1809, and not 1808, as the author has it.

31. **lunes:** *Avoir des lunes* is an old expression, meaning *to have whims, caprices.*

64. — 3. **Momus:** in Greek mythology the son of night, an evil spirit of blame and mockery.

5. **Grand'guerre:** as the *grand'* of this combination and a few others (*grand' rue, grand' mère, grand' messe,* etc.), represents not an abbreviation of the modern feminine *grande*, but an older feminine *grand*, identical with the masculine, the apostrophe with which they are customarily written is really incorrect.

65. — 14. **Cheval-Blanc.** In France where inns have signs, the sign of the white horse is one of the most common in country places.

15. **m'était,** *was to me,* for *était pour moi, à mes yeux.*

66. — 3. **ne m'étaient plus de rien =** , *did not interest me. N'être de rien à* is an idiom: *not to be of any interest to.*

68. — 1. **bureau à cylindre:** *roll-top desk;* in France an old fashioned piece of furniture.

70. — 15. **Tout beau!** *Hold on, stop a little!* somewhat antiquated.

72. — 14. **Pythagore.** Pythagoras (569–670 B. C.) was one of the earliest Greek philosophers and mathematicians. He is said to have invented the table of multiplication called for that reason *table de Pythagore.*

18. **bon point,** *a good mark,* given to little children in schools. There are also *mauvais points.* See page 85.

73. — 28. **absente.** Ironical allusion to a famous verse of Racine, *Britannicus* (Act I, Sc. 1). Agrippina says that she regrets the time when she ruled the State and assembled the senate at her will,

> Et que derrière un voile, invisible et présente
> J'étais de ce grand corps l'âme toute puissante.

74. — 11. The complete quotation is:

> La faim mit au tombeau Malfilâtre ignoré;
> S'il n'eût été qu'un sot, il aurait prosperé.

These famous verses are taken from a satire of Gilbert entitled *Le dix-huitième Siècle*, published in 1775. Gilbert (1751-
1780) is better known for his *Adieux à la vie*, a short poem that
he wrote a week before his death, at the age of thirty-one.

Malfilâtre (1733–1767) was likewise a young poet who died a
premature death after having lived in poverty.

25. **J'eus lieu de,** *I had reason to;* idiom.

75. — 16. **membres épars,** *scattered limbs;* translation of
the Latin expression, *disjecta membra poetæ*, Horace Sat. 1, 4. 62.

76. — 13. **sous secrétaire d'état,** a state official in France
immediately under the minister. The office has almost disappeared now. In this remark of Anatole France we find the
very common and often well-deserved contempt of the scholar
for the mediocrity of some successful politicians.

77. — 31. **qui n'ont pas le sens commun.** Idiom: *To be
devoid of sense, absurd.*

78. — 8. **la mort du chevalier d'Assas :** The chevalier d'Assas, captain of the regiment of Auvergne, was overtaken one night
by the enemy while reconnoitering alone. Surrounded by soldiers he was threatened with death if he uttered a sound. Sac-
rificing himself for the safety of his army he cried out: *A moi,
Auvergne, ce sont les ennemis,* and fell on the spot pierced by
bayonets, October 15, 1760. This incident occurred near Klos-
tercamp, Rhenish Prussia, during the seven year war.

79. — 3. **Louvre . . . Tuileries.** The Louvre, the old palace
of the kings of France was begun in the thirteenth century and
completed in the nineteenth. It is now a museum and a building of state. The Tuileries, another palace built likewise
alongside the Seine, has now disappeared. Since the Revolution it was the residence of the kings or the emperors of France.
It was burned down during the communistic insurrection of
1871 but existed at the time to which this book refers. The
name Tuileries to-day refers only to the great park that adjoined
the palace and is still used.

4. **Palais Mazarin,** a building on the left bank of the Seine constructed in the 17th century as a college founded by Mazarin for the education of gentlemen from Alsace, Italy, Roussillon and Flanders. It is occupied now by the Institute of France, i. e., the five Academies.

7. **rue Guénégaud, rue du Bac:** both are streets that lead to the quays of the Seine where the author lived.

22. **orfroi,** *orphrey,* a band of gold embroidery or other rich material put on certain ecclesiastical garments.

23. **edition princeps,** the first edition of a book.

80. — 8. **hôtel:** See note, page 11, 21.

16. **bouquinions,** *bouquiner* here means *to thumb old books;* *bouquin,* an old book. In present-day slang the verb is simply equivalent to *lire.*

20. **plat-à-barbe,** *shaving dish.*

20. **têtes de pipe:** allusion to the comical faces sometimes carved on pipes.

28. **curés de campagne.** Anatole France who is to-day a militant anti-clerical and an aggressive friend of socialism, will smile at this statement of twenty years ago. See *Introduction.*

31. **grimoires,** *unintelligible writings;* applied at first to the books of the magicians. **peu s'en faut!** = *very nearly! little short of it;* idiom.

81. — 7. **Bérézina** generally spelled Beresina, a Russian river in the south western part of that country. Napoleon during his disastrous retreat of 1812 crossed it after a terrible battle (26th and 29th of November) in which there was immense suffering and in which he lost 20,000 men. The scene has been often reproduced in popular pictures.

9. **targe,** *targe,* a sort of shield.

10. **rondaches,** *round shields,* no longer in use.

12. **Vulcain,** Vulcan, the god of fire and of the arts of forging and smelting, is represented in mythology as limping.

82. — 10. **De Viris.** Familiar abbreviation of the full title: *De viris illustribus urbis Romæ,* a Latin text-book containing

a *résumé* of Roman history for school boys. This book, the
title of which means: facts about the illustrious men of Rome,
was compiled about 1775 by Lhomond, a well known grammarian. It has been the first Latin text of generations of French
students.

21. **Teutobochus:** fanciful name.

83. — 13. **conseiller général,** a member of the *conseil général*
an assembly elected by universal suffrage in every department
to manage the affairs of the department. A *conseil général* has
a certain political importance in so far as its members are called
upon to elect the senators. **administrateur** = *trustee.*

84. — 2. **huitième préparatoire.** This used to be the lowest
class of the classical course. Pupils of nine or ten years of age
were instructed in the elements of Latin, history, geography,
arithmetic. The author pictures here the *Collège Stanislas*, a
denominational school still in existence, where he studied in
his boyhood. Part of the staff was composed of laymen and
part of priests.

22. **Mérovée.** It was common, forty years ago, to teach children the names of all the kings of France including the ancestors
of Clovis of whom little, if anything, is really known. Anatole
France satirizes this absurd method which went so far as to put
history into rhymes to facilitate the work of memory.

25. **Lutèce.** The name given, at the time of the Romans, to
the city that is now Paris.

85. — 10. **langue . . . chat,** *to give up guessing.* Colloquialism.

10. **pour peu que,** *if only.*

24. **mesure.** The *mesure* or meter refers here, as in all French
verses, to the number of syllables. Of course M. Jubal did not
respect the meter since he proposes a verse of twenty syllables
when no regular French verse is allowed to have more than
twelve.

25. **mauvais point,** see page 72.

29. **Noël et Chapsal**: the French grammar by *Noël et Chapsal* was the standard grammar for many generations of pupils and is often quoted as a typical old-fashioned text book. Noël (1755–1841) was a high official in the school system of France during forty years; Chapsal (1787–1858) was a grammarian.

87. — 23. **thyrses,** *thyrsus* the Bacchic wand; a staff wreathed in ivy and vine leaves and crowned with a pine cone or a bunch of ivy leaves, borne by the bacchants.

26. **l'Immaculée Conception**: This refers to the statue of the virgin Mary.

88. — 15. **Je connus,** 17th century use of verb *connaître* = *to realize. Je n'aperçus,* or *Je me rendis compte* would be more naturally used.

32. **à ravir**: *delightfully.*

91. — 4. **M. l'aumônier**: the chaplain. Every secondary school used to have a special chaplain; even State *lycées* and *collèges* have them to-day.

17. **simonie,** *traffic in ecclesiastical benefices or functions.* Ernest Renan tells likewise in his *Souvenirs d'enfance et de jeunesse* (Babbitt edition, p. 108) how puzzled he was by some of the sins mentioned in the old book he used for his *examens de conscience.*

"Un seul péché excitait ma curiosité et mon inquiétude. Je craignis de l'avoir commis sans le savoir. Un jour, je pris mon courage à deux mains et je montrai à mon confesseur l'article qui me troublait. Voici ce qu'il y avait; "Pratiquer la simonie dans la collation des bénéfices." Je demandai à mon confesseur ce que cela signifiait si je pouvais avoir commis ce péché-là. Le digne homme me rassura et me dit qu'un tel acte était tout à fait hors de ma portée."

20. **ne laissait pas de** . . . Useless to translate here. It is a French idiom that is often expletive and sometimes may be translated by 'yet' 'nevertheless,' 'for all that,' 'indeed.'

23. **à l'office,** in church ('during the service').

24. **les assemblées**: In French denominational schools, i. e. Roman Catholic colleges, there are periodical meetings of the

pupils and professors where announcements are made, marks read, and talks delivered before the school.

92. — 14. **figures,** faces that the pupils would draw on the board.

22. **à ce seul trait,** *judging from this single trait.*

26. **plongeait, de mon fait;** *sank, through my fault.*

31. **gibecière,** *school bag,* oftener *game bag.*

93. — 14. **passée,** *faded.*

16. **à me rappeler,** *when I think of* ... Idiomatic construction.

19. **fleur de lys,** the arms of the royal family of France.

24. **me le voir au dos,** 'to see it on my back.'

25. **marron d'Inde,** horse-chestnut.

94. — 20. **Atrides,** the descendants of Atreus king of Argos and Mycenas. This family is famous in mythology for its crimes. Atreus, through hatred for his brother Thyestes killed the sons of the latter and offered them in a banquet to their father. Agamemnon and Menelaus were the sons of Atreus.

95. — 1. **Bouquinant.** See page 80, note 16.

2. **boite à deux sous,** *the case containing the two cent books.*

16. **en troisième,** *in the third class,* corresponding to the third year preceding the baccalaureate.

20. **Saint François,** St. Francis of Assisi, a celebrated Italian monk who led a life of ascetic devotion and founded the order of the Franciscans. (1182–1226); **jeta le froc aux orties:** *threw off the cowl,* common idiom.

25. **les trois glorieuses.** Name given to the three days of the Revolution of 1830, July 27, 28, 29. Charles X, the last Bourbon king was dethroned by the Parisian bourgeoisie, aided by the National Guard. Louis-Philippe replaced him.

96. — 6. **tant et si bien,** *so long and so well;* idiom.

12. **Philippes:** Philippi, a city of Macedonia where Antony and Octavius defeated Brutus and Cassius, 42 B.C. **Brutus: a**

famous Republican leader who conspired against Cæsar. After his defeat in the battle of Philippi he committed suicide. 42 B.C.

23. **Léonidas, a** king of Sparta, reigned 491-480 B.C. With 300 Spartans he defended Thermopylæ, a narrow mountain pass between Thessaly and Greece, against an overwhelming army of Persians under Xerxes. He was killed in the battle.

24. **nef**: from the latin *navis.* Obsolete and poetic for *navire.* **Themistocle,** a famous Athenian ruler who defeated the Persians under Xerxes at the naval battle of Salamis, a little island on the coast of Attica; 486 B.C.

25. **Paul-Émile :** Paulus Lucius Æmilius, a Roman consul who was defeated and killed in the battle of Cannae by the army of Hannibal 216 B.C.

26. **Trasimène:** the lake of Trasimenus in the province of Perugia of to-day. Here Hannibal defeated and annihilated a Roman army in 217 B.C.

28. **Pharsale :** Pharsalus a city in Thessaly near Larissa of to-day, where Cæsar defeated Pompey in 48 B.C.

29. **Varus :** Publius Quintilius Varus Roman governor of Germany was defeated by Arminius the German national hero 9 B.C. The loss of the three legions of Varus was one of the most severe blows that the Romans suffered under Augustus.

30. **Hercynie:** the Hercynian Forest. In ancient geography it was the mountain range forming the northern boundary to the then known Europe. In modern geography it is usually made to comprise the mountain elevations of central Germany (Wesergebirge, Hartz, Thuringian and Saxon Highland, Giant Mountains, etc).

97. — 2. **Aegos-Potamos:** Aegospotami; a small river and a town of the Thracian Chersonesus (the modern peninsula of Gallipoli). It is noted as the place of a naval victory of the Spartans under Lysander over the Athenians (405 B.C.) which led to the close of the Peloponesian war.

3. **Numance:** Numantia, a city of ancient Spain on the

Douro, near the modern Soria. The siege of Numantia by the Romans and its desperate resistance 134–133 B.C. is one of the most thrilling episodes of that time. Some of the besieged people drank poison rather than surrender.

8. **Elien:** Aelianus Tacticus, a Greek residing in Rome about 100 A. D., wrote a book on the military tactics of the Greeks.

15. **latines que françaises.** The Latin theme used to be one of the standard exercises of the classical course in French lycées. The subjects were generally borrowed from ancient history.

17. **corrigé:** the corrected copy that the teacher wrote out or took from a book to present as a model to the students.

21. **dispenser,** *to distribute;* ironical use of the word.

98. — 5. **Decius Mus,** was a Roman plebeian consul 340 B.C. Having had a dream in which victory was promised for the army whose general would sacrifice his life he threw himself in the midst of the enemies' army and was killed. He thus won for his troops the battle of Vesuvius against the Latins. His son and grand-son are said to have likewise sacrificed themselves in later battles. See Livy VIII 9. 14.

10. **retenue:** the *retenue* is a punishment used in French schools by which the students are kept in the study room during recess. On Thursdays and Sundays however the *retenue* becomes a *retenue de promenade.* The students have to stay in the school while their fellows take their bi-weekly walk. The latter punishment is also called *consigne.* See below the verb *consigné.*

13. **rudiment:** an elementary Latin or Greek Grammar. The word is antiquated.

23. **proviseur,** title given to the head of a lycée.

99. — 5. **humaniste,** a student accomplished in literary and classical studies.

23. **Tite-Live,** Livy, the great Roman historian who wrote a

history of Rome in 142 books, of which only 35 are extant. (38 B. C.—17 A. D.)

30. **Canusium,** a town in Apulia on the Aufidus, S. W. of Cannae. The Romans fled there after their defeat at Cannae.

100. — 4. **faussées,** *bent.*

102. — 7. **pour de bon,** *really, seriously.*

8. **L'Aigle** or **Laigle :** a little town west of Paris in the department of Orne. It has a beautiful forest.

9. **Auvergne,** a mountainous and formerly volcanic region in the central part of France.

18. **Luxembourg,** here refers to the beautiful garden that surrounds the palace and is crossed every day by hundreds of school children.

26. **pensionnaire dans un lycée.** In the lycées and colleges of France there are several classes of students according as to whether they board and live in the school, take only one or two meals or simply attend recitations. The first class is composed of *pensionnaires* or *internes;* the second of *demi-pensionnaires;* the third of *externes.* Many authors have dwelt at length on the miserable life of the poor pupils shut up in those educational barracks and submitted to the severe discipline and claustral regime of the *internat.*

103. — 9. **ne saurait,** conditional of savoir = *ne peut.*

13. **porteurs d'eau,** a profession that has disappeared to-day. It is often referred to in the comedies of the first part of the nineteenth century. See Labiche's *Le Misanthrope et l'Auvergnat.*

25. **Épinal :** the capital of the department of Vosges near the frontier of Alsace-Lorraine. The 'pictures of Epinal' are little childish stories printed on cheap sheets of paper and roughly illustrated that children admire in the windows of small stores.

27. **légende :** the inscription that explains a picture.

104. — 12. Y enigmatique: This Y (*i grec* in French) stood by pun for *lie-grègue* a ribbon, sold in notion stores, to tie the breeches.

105. — 1. à pratiquer, *by frequenting*. See page 93, l. 14, note.
9. en plein vent, *in the open air*.
21. Mon cœur. . . de moi. See page 51, note 18. Compare Luke XXIV : 32 — "And they said to one another, did not our heart burn within us while he talked with us by the way."

106. — 16. grimaud, young schoolboys in the elementary grade. It is obsolete in this meaning and refers more often to 'scribblers.'

17. barbacoles: school-masters. Both words *grimaud* and *barbacoles* are used contemptuously.

19. palmarès: list published at every commencement containing the names of all the students who have received prizes or honorable mentions.

21. fort bien tournées, 'well written,' compare the words *tours de phrase*, *tournures*, often used in literary criticism.

22. M. l'inspecteur, the full title is *M. l'inspecteur d'Académie*, an official of the department of education who has charge of the inspection of secondary and primary schools.

29. Esope, Æsop, a Greek fabulist said to have been born in Phrygia and to have been a slave. Little is known about him. As stated below the fables published under his name were compiled by a monk of the 14th century by the name of Maximus Planudes. Æsop is said to have lived during the 6th century B. C.

31. Thersyte, a Greek character represented by Homer as the most hateful of all of the men gathered before Troy. His name is a symbol of physical ugliness and moral turpitude.

107. — 1. Galates, the name given by the Greeks to the Gauls that settled in Asia in 278 B. C.

12. en cinquième, 'in the fifth class.'

15. Thetis, a Nereid, mother of Achilles.

NOTES 151

17. **Nausicaa,** one of the most attractive characters in the Odyssey, daughter of the king of the Phæacians. She helped Ulysses when wrecked on her father's coast. *Odyssey* VI.

18. **le palmier de Délos,** a famous palm tree to which Homer likens Nausicaa: *Odyssey* VI 162.

19. **Andromaque.** Andromache, the wife of Hector the Trojan leader. After the fall of Troy she was given to Pyrrhus. She is considered the symbol of conjugal fidelity.

21. **Odyssée:** Odyssey, the famous Greek epic poem attributed to Homer, describing the wanderings of Ulysses on his homeward voyage to Ithaca after the siege of Troy.

23. **violette,** the epithet that Homer applies to the sea: πορ-φύρεος.

30. **Alceste et Antigone.** *Alcestis,* one of Euripides' tragedies, 438 B.C. *Antigone,* a tragedy by Sophocles, 440 B.C.

108. — 22. **patronnet,** *pastry cook's boy.*

22. **manne,** a basket, long and narrow, used by the pastry cook's boy.

30. **ces vers,** lamentations of Antigone when shut up in the subterranean tomb for having buried her brother Polynices. See *Antigone,* V. 891.

109. — 1. **Auvergnat:** the stands where chestnuts are sold are kept generally by natives of Auvergne.

14. **rhétorique:** the class in French secondary schools where the preparation for the first degree of bachelor of arts is made. The name was quite recently changed into that of *Première.*

19. **Casimir Delavigne** (1793–1843), a poet and dramatist of little inspiration, was a protagonist of the Romantic school. His correct and artificial style and his efforts to imitate the Romantic innovations gave him a certain popularity that did not last. His dramas *Louis XI* (1832) and *Les Enfants d'Édouard* (1833) are still quoted if not much read.

111. — 6. **à la lettre,** *literally.*

7. **l'Imitation de Jésus Christ,** a religious treatise very widely read as a book of piety, published during the 15th century and attributed to a German monk Thomas a Kempis.

9. **Corneille.** The great dramatist (1606–1684) wrote a translation in verse of the Imitation of Christ during a period of estrangement from the theatre, 1652–1659.

11. **pratique** = *society.*

13. **en commun,** *all together, as a whole.*

112. — 5. **à les détailler,** *when one considers them separately.*

113. — 3. **nocturne:** 'a dreamy sentimental composition appropriate to the evening or night.' (Standard dictionary).

3. **Chopin:** a famous French composer of Polish origin, 1809–1849.

26. **plus que de raison,** *more than is reasonable.*

114. — 22. **auprès de,** *in comparison with.*

116. — 20. **Bliss:** the name of an old Oxford publisher who issued some small editions of the classics about 1830. We owe this information to the kindness of Prof. E. B. Titchener of Cornell University.

27. **orée,** border (of a wood); to-day rare and literary word.

117. — 2. **Hic, quos durus amor . . . :** *Here, those whom an unhappy love . . .* — *Aeneid* VI, 442. Virgil describes in these lines the abode of unhappy lovers in the infernal regions.

21. **usé,** *worn out.* Note here the French meaning of *user* as opposed to the English *to use* which might be translated by *se servir de, employer.* Compare the application of the English phrase ' used up.' In this sentence there is a reference to the pessimistic literature of the beginning of the 19th century marked by such works as *René, Obermann, la Confession d'un enfant du siècle,* etc.

25. **passai,** *took. Passer* applied to examinations has not the same force as the English 'to pass.'

26. **baccalauréat:** the first university degree.   Although

passed before a jury of University professors it is prepared for in the secondary schools.   There are several kinds of *baccalauréat* : the *baccalauréat ès sciences* the *baccalauréat ès lettres* etc.

118. — 7. aux eaux, 'at the watering places'; this expression applies only to places having mineral waters.

11. Je me relevai . . . du vœu : *when I was gray-haired I absolved myself from the vow of* . . .

120. — 3. le bas Maine : the lower part of the province of Maine; this province forms today the departments of Sarthe and of Mayenne.

4. Ernée : a little town in the department of Mayenne.

9. haie vive : *quickset hedge*, 'formée d'arbustes épineux en pleine végétation' (Larousse).

20. émousses : local word from the word 'emoussé,' blunted ; use the same word in English.

23. Bocage : name of a little section of Normandy called *Bocage Normand* in the department of Calvados and Orne. There is also a *Bocage Vendéen* northwest of the province of Poitou, famous during the royalist insurrection of the French revolution.

24. étêté, *headless;* refers only to things or animals.

121. — 7. chouannerie : name given to the royalist insurrection that broke out at the beginning of the French revolution in western France, especially in Britanny, Anjou and lower Maine.   The name given to the insurgents was that of *chouan.*

8. Treton : Jean Louis Treton, called *Jambe d'argent* because he had a leg amputated, was a poor shepherd who joined the troops of the Chouans and distinguished himself in the guerilla warfare carried on against the armies of the Revolution.   He was killed in battle in 1795.

9. bleus : See page 63, note 10.

122. — trémie, *an opening in the hearth.*   It is wide at the top and narrow at the bottom.   The word is technical in this sense.   Translate here simply *hearth.*

123. -- 1. **la mère.** The definite article is a familiar form of address. Compare La Fontaine:

> Passez votre chemin, la fille, et m' en croyez,
> *Le meunier, son fils, et l'âne.*
> Livre III, fable 1.

16. **Vous dis-je,** *I tell you.* The inversion is used for emphasis.

11. **le fils à Jean** = *le fils de Jean ;* colloquial and popular use.

22. **gars René :** *gars* is an expression that is antiquated ; used to-day only in such expressions as: *C'est un beau gars.*

VOCABULARY

VOCABULARY

A

a, *see* avoir; il y —, there is; ago.

à, *prep.* to, at, for, in, by, with.

abandonner, to abandon, forsake, desert.

abattement, *m.* despondency, sadness.

abattre, to knock down.

abattu, –e, downcast.

abbé, *m.* abbot; ecclesiastic; priest.

Abel, Abel.

abondamment, abundantly.

d'abord, at first, in the first place.

aborder, to land, enter, begin the study of.

aboyer, to bark.

abriter, to shelter.

absence, *f.* absence.

absent, –e, absent.

absurde, absurd.

abuser (de), to misuse, make bad use of, take an unfair advantage of.

académie, *f.* academy.

acajou, *m.* mahogany.

accablement, *m.* oppression, despondency.

accabler, to overwhelm, oppress.

accent, *m.* accent, intonation.

accès, *m.* access.

accommoder, to accommodate, arrange, dress; s'—de, be satisfied with.

accompli, –e, accomplished, finished.

accordéon, *m.* accordeon, harmonica.

accorder, to grant.

accoudé, –e, leaning.

s'accouder, to lean on one's elbow.

accourir, to run up, hasten.

accoutumer, to accustom.

accueil, *m.* reception, welcome; faire —, to welcome.

accueillir, to receive, welcome.

accuser, to accuse.

acheter, to buy.

achever, to complete, achieve.

acquérir, to acquire.

action, *f.* action, act, deed.

activité, *f.* activity.

actrice, *f.* actress.

adieu, good-by, farewell.

adjudant-major, *m.* adjutant.

administrateur, *m.* director, administrator; trustee.

admirable, admirable.

admirablement, admirably.

admiration, *f.* admiration.

admirer, to admire.

admissible, acceptable.

157

adolescence, *f.* boyhood.

s'adonner, to give *or* apply oneself.

adorable, adorable.

adorer, to adore.

s'adosser, to lean against.

adresse, *f.* address.

adresser, to address; — la parole, speak.

advenir, to happen.

Ægipan, *m.* Ægipan (*so called because of goatlike attributes*).

affaire, *f.* business, affair; toute une —, quite a piece of work; Affaires étrangères, Foreign Office.

affairé, -e, busy, full of business.

affecter, to affect.

affectueux, -se, kind, affectionate, loving.

affirmer, to assert.

affligé, -e, afflicted.

affliger, to afflict, grieve.

affreux, -se, awful.

affronter, to face, encounter.

âge, *m.* age; bas —, childhood, infancy.

âgé, -e, aged, old.

s'agenouiller, to kneel down.

agent de change, *m.* stockbroker.

agile, agile, quick, active.

agir, to act, do, behave; il s'agit, il s'agissait, it is, it was, a question of.

agitation, *f.* agitation.

agité, -e, agitated, stormy; le ciel —, the gloomy sky.

agiter, to move, agitate, toss.

agneau, *m.* lamb.

agrandir, to enlarge; s'—, grow.

agréable, agreeable.

aide, *f.* help.

aider, to aid, help; s'— de, use.

aïeul, *m.* ancestor.

aigle, *m.* eagle.

aigrir, to sour, embitter.

aiguille, *f.* needle; hand of clock.

aile, *f.* wing.

ailleurs, elsewhere; d'—, besides, moreover.

aimable, amiable.

aimer, to like, love.

aîné, -e, oldest.

ainsi, thus.

air, *m.* air, appearance; au grand —, in the open air.

ajouter, to add.

alentour, *adv.* around, about; d'—, surrounding.

alerte, *f.* alarm, alert.

allée, *f.* alley, lane.

allégresse, *f.* mirth, joy, glee.

aller, to go, be; s'en —, go away.

alligator, *m.* alligator.

allonger, to stretch out; — l'allure d'un cheval, make a horse go faster.

allons! well! come now!

allumer, to light.

allure, *f.* gait, pace, carriage.

almanach, *m.* almanac; prediction. See note to page 62.

alors, then, at that time.

alternative, *f.* alternative.

amas, *m.* heap, pile.

amateur, *m.* lover (*of some art or recreation*), connoisseur.

ambassadeur, *m.* ambassador.

âme, *f.* soul.

Amélie, Amelia.

améliorer, to improve.

amener, to bring, lead.

ameublement, *m.* furniture.

ami, –e, *m. f.* friend.

amitié, *f.* friendship, kindness.

amonceler, to heap up; s'—, to be heaped up, accumulate.

amour, *m.* love.

amoureux, –se, in love; *m.* lover.

amour-propre, *m.* self-love, self-esteem.

amusement, *m.* amusement, entertainment.

amuser, to amuse.

an, *m.* year.

anachorète, *m.* anchorite.

analyse, *f.* analysis.

analyser, to analyze.

ananas, *m.* pineapple.

ancêtre, *m.* ancestor.

ancien, –ne, ancient, old.

Andromaque, Andromache.

âne, *m.* ass; bonnet d'—, fool's cap.

ange, *m.* angel.

anglais, –e, English; à l'anglaise, in English fashion.

angoisse, *f.* anguish, agony.

anguille, *f.* eel; (*fig.*) strip, lash.

animal, –aux, *m.* animal.

animer, to animate; s'—, become animated.

anneau, *m.* ring.

année, *f.* year.

annoncer, to announce.

anonyme, anonymous.

anthropologie, *f.* anthropology.

antichambre, *f.* antechamber.

antilope, *f.* antelope.

antiquaire, *m.* antiquary, antiquarian.

antique, ancient.

antiquité, *f.* antiquity.

Antoine, Anthony.

anxieusement, anxiously.

apercevoir, to perceive; s'— (de *or* que), notice.

aplatir, to flatten.

apostolat, *m.* apostleship, apostolate.

apparaître, to appear.

appareil, *m.* equipment, apparatus, instrument.

apparence, *f.* appearance, probability.

apparent, –e, apparent, visible.

apparition, *f.* apparition.

appartement, *m.* apartment.

appel, *m.* call.

appeler, to call.

appétit, *m.* appetite.

application, *f.* application.

appliquer, to apply; s'—, apply oneself *or* itself.

apporter, to bring.

appréciable, appreciable.

apprécier, to appreciate.

apprendre, to learn, teach, know.

apprentissage, *m.* apprenticeship.

apprêter, to prepare.

approche, *f.* approach.

approcher, to approach.

approuver, to approve of.

âpre, hard, rough.

après, after; **d'—,** according to.

après-midi, *m. f.* afternoon.

aquilon, *m.* north wind (*poetic word*).

ara, *m.* macaw.

araignée, *f.* spider.

arbalète, *f.* cross-bow.

arbre, *m.* tree.

arc-de-triomphe, *m.* triumphal arch. See note to page 5.

arceau, *m.* arch.

arche, *f.* arch, ark.

archives, *f. pl.* archives.

ardent, **–e,** ardent.

ardeur, *f.* ardor.

ardoise, *f.* slate.

argent, *m.* silver, money.

aristocrate, *m.* aristocrat.

arme, *f.* arm, weapon.

armé, **–e,** armed.

armée, *f.* army.

armoire, *f.* closet, case; **— à glace,** glass cupboard.

armoiries, *f. pl.* coat of arms, armorial bearings.

armure, *f.* armor.

armurier, *m.* gunsmith.

arracher, to draw from, tear, pull off.

arranger, to arrange.

arrestation, *f.* arrest.

arrêt, *m.* arrestation; **maison d'—,** jail.

arrêter, to stop, stay; **s'—,** stop, stay.

arrière, back, behind; **en —,** behind.

arriver, to arrive, come, happen.

art, *m.* art.

articuler, to articulate.

artificiel, **–le,** artificial.

artiste, *m. f.* artist.

aspect, *m.* appearance.

aspiration, *f.* aspiration.

assaillir, to assail, haunt.

assemblée, *f.* assembly. See note to page 91.

s'asseoir, to sit down.

assez, enough, rather.

assidu, **–e,** assiduous.

assiéger, to besiege.

assiette, *f.* plate.

assister (à), to attend.

associer, to associate; **s'—,** be associated with.

assombri, **–e,** darkened.

assombrir, to darken.

s'assoupir, to fall asleep.

assourdir, to deafen.

assurément, certainly, assuredly.

assurer, to assure, claim; **s'—,** make sure.

atelier, *m.* studio, workshop.

atmosphère, *f.* atmosphere.

âtre, *m.* fire-place, hearth.

attaché, *m.* attaché (*of an embassy*).

attacher, to attach, tie.

atteindre, to reach, get at.

atteint, **–e (de),** suffering from.

atteler, to hitch, hitch up.

attendre, to wait, wait for; **en attendant**, meanwhile; **s'--** (à) to expect.

attendri, –e, tender, pitying, moved.

attendrir, to soften; **s'—**, be moved.

attentat, *m.* crime.

attente, *f.* expectation.

attentif, –ve, careful, attentive.

attention, *f.* attention; **faire —**, to pay attention.

attester, to take as witness.

attique, Attic, Athenian.

attirail, *m.* outfit, implements, paraphernalia.

attirer, to attract.

attitude, *f.* attitude.

attrait, *m.* attraction, charm.

attraper, to trap, catch.

attribuer, to attribute.

attrister, to sadden, grieve.

au (*plur.* **aux**) = **à** + **le**, to the, at the, in the, on the.

aube, *f.* dawn, daybreak.

auberge, *f.* inn.

aucun, –e, no, not any, none.

audace, *f.* audacity, boldness.

augmenter, to increase.

aujourd'hui, to-day.

aumônier, *m.* chaplain.

auprès de, *prep.* near, in comparison with.

auquel, *contraction of* **à lequel**.

aussi, as, also, hence.

aussitôt, directly, immediately.

austérité, *f.* austerity, sternness, mortification.

autant, *adv.* as much; as many; **d'— mieux**, so much the better, the more so; **qu'— que**, only when, if.

autel, *m.* altar.

auteur, *m.* author.

automne, *m.* autumn, fall.

autour, *adv.* around; **— de**, *prep.* around, about.

autre, other; **comme dit l'—**, as they say.

autrefois, formerly.

autrui, another, others, other people.

Auvergnat, –e, *m. f.* inhabitant of Auvergne.

Auvergne, *f.* province of central France.

avaler, to swallow.

avance, *f.* advance; **par —**, in advance.

avancer, to advance; **s'—**, advance.

avant, *prep.* before; **— que**, *conj.* before.

avec, with.

avenir, *m.* future.

aventure, *f.* adventure.

aventurer, to risk; **s'—**, venture.

avertir, to inform, warn, tell.

avide, avid, desirous.

avis, *m.* information, notice, opinion, mind; **changer d'—**, to change one's mind.

s'aviser (**de**), to take it into one's head.

avocat, *m.* lawyer.

avoir, to have; **il y a**, there is, there are; ago.

avouer, to confess.

B

babil, *m.* chatter.

bac, *m.* ford; **Rue du Bac,** name of a street in Paris.

baccalauréat, *m.* examination for the degree of A.B.

badaud, *m.* idler, loafer.

Bade, Baden. See note to page 31.

bagne, *m.* prison (*for hard labor*).

bague, *f.* ring.

baïonnette, *f.* bayonet.

baiser, to kiss.

baiser, *m.* kiss.

baisser, to lower, stoop, fall, decline.

bal, *m.* ball, dance.

balai, *m.* broom.

balayer, to sweep.

balle, *f.* ball.

ballon, *m.* balloon.

balustrade, *f.* balustrade.

banal, –e, commonplace.

banc, *m.* bench.

bande, *f.* band.

bandelette, *f.* bandlet, strip.

barbacole, *m.* schoolmaster. See note to page 106.

barbe, *f.* beard.

barbouiller, to daub, blot, smear.

barre, *f.* bar, cross bar.

barrer, to obstruct, bar, line through.

bas, *m.* stocking.

bas, –se, low, down, short, small; *adv.* low, down; **du haut en —,** from top to bottom.

base, *f.* base, bottom.

bassin, *m.* basin, fountain.

Bastille. See note to page 47.

bataille, *f.* battle, fight.

bataillon, *m.* battalion.

bateau, *m.* boat.

bâtiment, *m.* building.

bâtir, to build, construct.

battement, *m.* beating, clapping; **— de mains,** hand-clapping.

béant, –e, gaping, wide open.

beau, bel, belle, fine, beautiful; *m.* fop, dandy; **tout —,** *adv.* wait a moment, gently.

beaucoup (de), much, a great deal, many.

beauté, *f.* beauty.

beaux-arts, *m. pl.* fine arts.

bec, *m.* beak, bill.

belles-lettres, *f. pl.* belles-lettres, literature.

belliqueux, –se, warlike.

béni, –e, blessed.

bénir, to bless.

bénit, –e, holy, consecrated.

bercail, *m.* fold.

berceau, *m.* cradle.

bercer, to rock.

bergeronnette, *f.* wagtail.

besogne, *f.* task.

besoin, *m.* need, want.

bêta, *m.* fool, blockhead.

bête, *f.* animal, beast, fool; *adj.* foolish.

bible, *f.* Bible.

bibliomanie, *f.* bibliomania.

bien, well, very well, indeed, rather; **— du, de l', de la,** much; **— des,** many; **—**

que, although; si — que, so much so that, so that.

bien, *m.* property, wealth.

bienheureux, –se, happy, blessed.

bientôt, soon, quickly.

bienveillant, –e, kindly.

bijou, *m.* jewel.

bille, *f.* marble (*for playing game*).

bizarre, odd, strange, fantastic.

blanc, –che, white.

blanchi, –e, whitened, white-washed.

blanchisseuse, *f.* laundress.

blême, pale.

blesser, to wound.

bleu, –e, blue. See note to page 63.

blond, –e, fair, blonde.

blouse, *f.* frock, blouse.

bois, *m.* wood, forest.

boiserie, *f.* wainscot.

boîte, *f.* box, case.

boiter, to limp.

boiteux, –se, lame.

bon, –ne, good; pour de —, in earnest.

bondir, to jump.

bonheur, *m.* happiness, good luck.

bonhomme, *m.* fellow, good-natured man, figure, puppet.

bonjour, *m.* good morning.

bonne, *f.* maid, nurse.

bonnet, *m.* cap, bonnet; — d'âne, foolscap.

bonsoir, *m.* good evening.

bonté, *f.* goodness; value.

bord, *m.* border, shore, edge, rim.

border, to border, frame in, line.

borné, –e, stupid.

bosquet, *m.* little grove, clump of trees, wood.

bossu, –e, hunchbacked; *m.* hunchback.

bossué, –e, battered.

botte, *f.* boot.

bouc, *m.* goat, goat-skin.

bouche, *f.* mouth.

bouchon, *m.* stopper, cork.

boucle, *f.* buckle, curl.

bouclé, –e, curly.

bouger, to judge.

boule, *f.* ball.

boulet, *m.* bullet; — de canon, cannon ball.

bouleverser, to overthrow, agitate, upset.

bouquet, *m.* bouquet.

bouquin, *m.* old book.

bouquiner, to read, peruse old books.

bouquiniste, *m.* seller of old books.

bourgeois, –e, middle-class.

bourrelé, –e, stung; — de remords, stung with remorse.

bousculer, to jostle, knock about.

bout, *m.* end, extremity.

bouteille, *f.* bottle.

boutique, *f.* shop.

bouton, *m.* button, knob, bud.

branche, *f.* branch, bough.

brandir, to brandish.

bras, *m.* arm.

brassée, *f.* armful; **à —**, in both arms.
brave, gallant, good.
braver, to dare.
Brest, seaport of Brittany.
bric-à-brac, *m.* antiquities, old stores; bric-a-brac.
Brie. See note to page 31.
brigade, *f.* brigade.
brigand, *m.* brigand, robber.
brillant, **-e**, shiny, brilliant.
briller, to shine.
brin, *m.* blade; bit.
briser, to break.
brocanteur, *m.* dealer in second-hand goods.
broche, *f.* spit; brooch.
broché, **-e**, worked (*of tapestry, cloth, etc.*).
brochure, *f.* pamphlet.
broder, to embroider.
broderie, *f.*, embroidery.
brouille, *f.* disagreement, quarrel.
bruit, *m.* noise.
brûler, to burn; **— le pavé**, go full speed over the pavement.
brumeux, **-se**, misty, foggy.
brun, **-e**, brown; dark (*of complexion*).
brusquerie, *f.* abruptness.
brutal, **-e**, brutal, crude.
brute, *f.* brute.
buffet, *m.* cupboard, sideboard.
buis, *m.* box-tree, box-wood.
bureau, *m.* writing-table, desk; office; **— à cylindre**, roll-top desk; **—x**, headquarters.

buste, *m.* bust, head and shoulders.
buveur, *m.* drinker.
byzantin, **-e**, Byzantine.

C

c', *see* **ce**.
ça, *fam. for* **cela; de — de là**, here and there.
cabane, *f.* hut, cabin.
cabaret, *m.* saloon.
cabaretière, *f.* innkeeper.
cabinet, *m.* office.
cabriole, *f.* caper.
cacatois, *m.* (*nav.*) royal sail.
cacher, to hide.
cachot, *m.* dungeon, cell.
cadavre, *m.* corpse.
cadeau, *m.* gift.
cadran, *m.* dial-plate, dial; **— solaire**, sun dial.
café, *m.* coffee.
cage, *f.* cage.
cahier, *m.* book, note book.
caillou, *m.* pebble.
Caïn, Cain.
calendrier, *m.* calendar.
calme, calm, quiet.
calme, *m.* calm, coolness.
calmer, to calm.
camarade, *m.* comrade, classmate.
campagne, *f.* country.
canapé, *m.* sofa.
candeur, *f.* naïveté, simplicity.
canif, *m.* penknife.
canne, *f.* cane, stick.
canon, *m.* cannon.
cantique, *m.* song, hymn.

capable, capable.

capitaine, *m.* captain.

caprice, *f.* caprice, whim, fancy.

captif, -ve, *m. f.* prisoner.

capucin, *m.* Capuchin.

car, *conj.* because, for.

caractère, *m.* character, temper.

carafe, *f.* decanter.

caramel, *m.* caramel.

carapace, *f.* carapace (*upper shell of a turtle*).

carcan, *m.* iron collar.

carré, -e, square.

carrière, *f.* career.

carrosse, *m.* carriage.

carte, *f.* card, map, chart; — de visite, calling card.

carton, *m.* pasteboard, band-box, hat-box.

cas, *m.* case; en-tout- —, *m.* sunshade. See note to page 31.

casque, *m.* helmet.

casquette, *f.* cap.

casser, to break.

catalogue, *m.* catalogue, list, roll.

cataloguer, to classify, catalogue.

catéchisme, *m.* catechism.

cause, *f.* cause, motive, reason; à — de, on account of, because of.

causer, to talk, chat; cause.

causerie, *f.* chat.

causeuse, *f.* small chair for two persons. See note to page 8.

cave, *f.* cellar.

caverne, *f.* cave.

ce, *pron.* this, that, it, he, she, they; ceci, this, that; — qui, — que, what, that which; c'est que, it is because.

ce, cet, cette, ces, *dem. adj.* this; cette nuit, last night.

céder, to cede, yield, give up.

cèdre, *m.* cedar-tree. See note to page 39.

cela, *dem. pron.* that; par — même, for that very reason.

célèbre, celebrated, famous.

céleste, celestial.

celui, celle, ceux, celles, *dem. pron.* this, that, the one; — qui, he who; —-là, that one.

cendre, *f.* ashes.

cent, hundred.

centre, *m.* center.

cependant, meanwhile, nevertheless.

cerceau, *m.* hoop.

cérémonie, *f.* ceremony.

cerise, *f.* cherry.

certain, certain; peculiar.

certainement, certainly.

certitude, *f.* certainty.

cerveau, *m.* brain.

ces, *see* ce.

cesse, *f.* rest; sans —, unceasingly, incessantly, ever.

cesser, to cease, stop.

cet, cette, *see* ce.

ceux, *see* celui.

chagrin, -e, peevish, discontented.

chagrin, *m.* grief, sorrow, trouble.

chagriner, to grieve.

chaîne, *f*. chain.

chair, *f*. flesh, meat, skin.

chaire, *f*. chair, desk, pulpit.

chaise, *f*. chair.

chaleur, *f*. warmth.

chambre, *f*. room, chamber; Les Chambres, *f. pl.* See note to page 32.

champ, *m*. field; sur le —, immediately, at once.

chandelle, *f*. candle.

change, *m*. exchange; agent de —, stock-broker.

changeant, –e, changing.

changement, *m*. change.

changer, to change.

chanoinesse, *f*. canoness.

chanson, *f*. song.

chant, *m*. song, music.

chanter, to sing.

chaotique, chaotic.

chapeau, *m*. hat.

chapelet, *m*. chaplet, string of beads.

chapelle, *f*. chapel.

chapître, *m*. chapter.

chaque, each, every, all.

charbonnier, *m*. coal-seller.

charcutier, *m*. pork-butcher.

chargé, –e, loaded, full of.

charmant, –e, charming.

charme, *m*. charm, attraction.

charmer, to charm, delight, soothe.

charnière, *f*. hinge, joint.

charrette, *f*. cart, truck.

chasser, to hunt, drive away.

chat, *m*. cat; donner sa langue au —, to give it up.

chataignier, *m*. chestnut-tree.

chaud, –e, warm, hot; il faisait —, it was warm.

chaume, *f*. thatch.

chaussé –e, placed on. See note to page 44.

chaux, *f*. lime.

chemin, *m*. road.

cheminée, *f*. mantelpiece; chimney.

cheminer, to walk, run (*on a road*).

chemise, *f*. shirt; en —, in one's night-shirt.

chenille, *f*. caterpillar.

cher, chère, dear; *adv*. dearly.

chercher, to look for, try.

chèrement, dearly.

chéri, –e, beloved, darling.

chétif, –ve, delicate, sickly, mean.

cheval (*pl.* –aux), *m*. horse; monter à —, to ride horseback.

chevalier, *m*. knight.

chevelure, *f*. hair, head of hair, scalp.

chevet, *m*. bolster, head of a bed.

cheveu (*pl.* –eux), *m*. hair.

chevrefeuille, *m*. honeysuckle.

chez, at, in, to the house of; — lui, at home.

chiche, pois —, dwarf pea, chick pea.

chien, *m*. dog.

chiffon, *m*. rag.

chiffonné, –e, rumpled; saucy.

chiffre, *m*. figure, number.

chimère, *f*. chimera; ill fancy.

Chine, *f.* China.

chiné, -e, speckled, variegated.

chocolat, *m.* chocolate.

chœur, *m.* choir.

choisir, to choose.

choix, *m.* choice.

choquer, to shock.

chose, *f.* thing; quelque —, something, anything; en quelque —, see note to page 48.

chou, *m.* cabbage.

chouan, *m.* Chouan. See note to page 121.

chouannerie, *f.* Chouannerie. See note to page 121.

chuchottement, *m.* whispering, whisper.

cicéronien, -enne, Ciceronian, after the manner of Cicero.

cidre, *m.* cider.

ciel, *m.* sky; Heavens!

cierge, *m.* taper, candle.

cigogne, *f.* stork.

cilice, *m.* haircloth.

cingler, to cut, lash.

cinq, five.

cinquantaine, *f.* fifty, age of fifty.

cinquante, fifty.

cinquième, fifth; *f.* fifth class.

circonstance, *f.* circumstance.

ciré, -e, waxed; toile —e, oilcloth.

ciseaux, *m.* scissors.

citoyen, -ne, *m. f.* citizen.

clair, -e, clear, distinct, shining.

claquer, to chatter; en claquant des dents, with chattering teeth.

clarté, *f.* light, brightness, clearness.

classe, *f.* class-room, class.

classique, *m.* classic, one who upholds the classical school of literature.

clé, clef, *f.* key.

cloître, *m.* cloister.

clos, -e, closed.

clouer, to nail.

cocher, *m.* coachman.

coco, *m.* cocoanut. See note to page 40.

cœur, *m.* heart; par —, by heart.

coffre, *m.* chest, box.

coiffe, *f.* crown.

coiffé, -e, covered.

coiffer, to dress, put on one's head, arrange the hair.

coiffure, *f.* headgear.

coin, *m.* corner.

coing, *m.* quince.

col, *m.* collar.

colère, *f.* anger; en —, angry.

colle, *f.* glue.

collection, *f.* collection.

collectionneur, *m.* collector.

collège, *m.* college (*secondary school*).

collégien, *m.* college boy, school boy.

coller, to paste, glue, stick.

colombe, *f.* dove.

colonne, *f.* column.

combat, *m.* fight, battle.

combattre, to combat, fight against.

combien, how much, how many, how.

comédie, *f.* comedy; theater.

comète, *f.* comet.

comique, comical, funny.

comité, *m.* committee.

comme, as, like; as if, as it were; since, because, as, when; how (*in exclamation*); — **ça**, like that, thus.

commencer, to commence, begin.

comment, how, how to.

commenter, to comment.

commerce, *m.* commerce, business, intercourse.

commettre, to commit.

commis, *m.* clerk.

commode, *f.* chest of drawers.

commun, **-e**, commonplace, common; **en** —, together.

communauté, *f.* community.

Commune, *f.* Commune (*municipal government of Paris, during the Revolution*).

communément, ordinarily.

compagne, *f.* companion.

compagnie, *f.* company; **en** —, in society.

comparé, **-e**, comparative.

comparer, to compare.

complet, **-ète**, complete.

complètement, completely.

compléter, to complete.

complot, *m.* conspiracy.

componction, *f.* compunction.

se comporter, to behave, act.

composer, to compose, write.

composition, *f.* composition.

comprendre, to understand.

compte, *m.* account; **tener** — **de**, to take account of; **demander** — **à quelqu'un**, call somebody to account.

compter, to reckon, count, expect; **à** — **de**, from.

conception, *f.* conception.

concevoir, to conceive.

concierge, *m. f.* janitor, janitress.

conduire, to lead, direct, take, carry out.

conduite, *f.* conduct, behavior.

confesse, *f.* confession; **aller à** —, to go to confession.

confesser, to confess; **se** —, confess.

confession, *f.* confession.

confiance, *f.* confidence, faith.

confiant, **-e**, confiding, trusting.

confier, ιo confide.

confin, *m.* border.

confiner, to confine, limit.

confirmer, to confirm.

confisquer, to confiscate.

confit, **-e**, preserved.

confiture, *f.* jam, preserve.

confondre, to confuse; **se** —, mingle, blend.

confondu, **-e**, overwhelmed.

conformer, to conform.

confrère, *m.* colleague.

confus, **-e**, confused.

confusément, confusedly, indistinctly.

congé, *m.* furlough.

connaissance, *f.* knowledge, consciousness; **perdre** —, to faint away.

connaître, to know, be acquainted with.

conquérir, to conquer.

conquête, *f.* conquest.

conscience, *f.* conscience.

conseil, *m.* advice.

conseiller, to advise.

conseiller, *m.* councilor. See note to page 83.

conservateur, –trice, conservative.

conservation, *f.* conservation.

conserver, to keep.

considération, *f.* consideration.

considérer, to consider.

consigner, to consign, record, keep in. See note to page 98.

consolation, *f.* consolation, comfort.

consoler, to console.

conspirateur, *m.* conspirator.

constitution, *f.* constitution.

consul, *m.* consul (*Roman official*).

contact, *m.* contact.

conte, *m.* story.

conter, to tell, narrate.

contemplation, *f.* contemplation.

contempler, to look with interest.

contemporain, *m.* contemporary.

contenir, to contain, hold.

content, –e, satisfied, content.

contentement, *m.* contentment.

contenter, to satisfy.

conter, to tell.

conteur, *m.* story-teller, novelist.

continu, –e, continuous.

continuer, to continue.

contracter, to contract, shrink.

contraint, –e, obliged.

contraire, contrary; **au —,** on the contrary.

contre, against; **par —,** on the other hand.

contrebandier, *m.* smuggler.

contribuer, to contribute.

convenable, proper, fitting.

convenablement, properly.

convenir, to agree, suit, fit.

conversation, *f.* conversation.

convulsif, –ve, twitching, nervous.

copier, to copy.

coq, *m.* rooster.

coquette, *f.* coquettish lady.

coquetterie, *f.* coquetry.

coquin, *m.* rascal, rogue; **— de . . .,** rascal of a . . .

corail, *m.* coral.

corde, *f.* cord, rope.

cordonnier, *m.* shoemaker.

corne, *f.* horn, corner (*of a letter*).

corps, *m.* body; **— de logis,** main part.

correspondance, *f.* correspondence.

correspondre, to correspond.

corrigé, *m.* model, corrected copy, true reading.

corriger, to correct.

cortège, *m.* retinue, company, procession.

côte à côte, side by side.

côté, *m.* side; bâtie de —, built with its side to the street; du — de, in the direction of.

cou, *m.* neck.

coucher, to put to bed; se —, lie down, go to bed, sleep.

coude, *m.* elbow.

coudée, *f.* cubit.

coudre, to sew.

couleur, *f.* color.

couler, to flow, run, slip; se —, slip.

couloir, *m.* corridor, lobby.

coup, *m.* stroke, blow, thrust; — de poing, fisticuff; tout à —, suddenly; à — de, with; à ce —, this time; pour le —, this time. See note to page 40.

coupable, guilty.

coupe, *f.* cutting; bowl, glass, dish.

couper, to cut.

cour, *f.* yard, court.

courage, *m.* courage.

courir, to run.

couronne, *f.* crown, wreath.

courroie, *f.* strap.

cours, *m.* course.

course, *f.* walk, errand.

coursier, *m.* steed.

court, –e, short; *adv.* s'arreter. rester —, to stop short.

couteau, *m.* knife.

coûter, to cost, be painful.

coutil, *m.* canvas, duck (*cloth*).

coutume, *f.* custom, habit; avoir —, to be accustomed to.

couturière, *f.* dressmaker.

couvent, *m.* convent.

couvrir, to cover.

craie, *f.* chalk.

craindre, to fear.

crainte, *f.* fear.

craintif, –ve, fearful

cramoisi, –e, crimson.

se cramponner, to cling, hold fast.

crâne, *m.* skull, cranium, head.

crânerie, *f.* spirit, pluck, swaggering.

crasseux, –se, dirty, filthy.

cravate, *f.* cravat.

crayon, *m.* pencil.

création, *f.* creation.

créature, *f.* creature.

crédence, *f.* small table (*for kitchen utensils*).

créer, to create.

crépitement, *m.* crackling.

crête, *f.* crest, comb.

creuser, to dig, hollow.

creux, –se, hollow.

creux, *m.* hollow, hole.

crever, to break open, burst, pierce.

cri, *m.* cry.

crime, *m.* crime.

crin, *m.* horse hair, haircloth.

crinière, *f.* mane.

crispé, –e, convulsive, shrivelled.

critique, critical.

croire, to believe.

croître, to grow.

croix, *f.* cross.

crosse, *f.* butt-end (*of gun*).

croûte, *f.* crust.

croyable, believable, likely, possible.

croyance, *f.* belief.

crû, -e, raw.

cruche, *f.* pitcher.

cruel, -le, cruel.

cuir, *m.* leather, skin.

cuirasse, *f.* cuirass, breast-plate.

cuisine, *f.* kitchen.

cuisinière, *f.* cook.

culbuter, to throw down, upset.

culotte. *f.* breeches.

culture, *f.* culture, cultivation.

curé, *m.* priest.

curieux, -se, curious.

curiosité, *f.* curiosity.

cuvette, *f.* basin, bowl.

cylindre, *m.* cylinder.

D

d' = de.

d'abord, at first.

dame, *f.* lady.

damné, -e, damned.

dans, *prep.* in, into.

danser, to dance.

dater, to date from.

dauphin, *m.* dauphin (*the king's eldest son*).

davantage, more.

de, *prep.* of, from, with, to, some, any.

débarbouiller, to wash, clean.

débit, *m.* shop, sale, delivery; utterance.

débiter, to deliver, utter.

déborder, to run over.

debout, standing, upright.

débris, *m.* remains, fragments.

débrouiller, to unravel.

décembre, *m.* December.

déception, *f.* disappointment.

décharger, to discharge; **se —**, to unload, throw off.

décharné, -e, emaciated.

déchiffrer, to decipher.

déchu, -e, fallen, dilapidated.

décider, to decide; **se —**, make up one's mind.

déclarer, to declare, state.

décoloré, -e, colorless, pale.

décoré, -e, decorated, adorned.

découper, to cut, cut up *or* out.

découpure, *f.* cutting out, figure work, cut out.

découverte, *f.* discovery.

découvrir, to discover.

décréter, to decree; **tyran décrété d'arrestation**, tyrant against whom a warrant has been issued.

décrocher, to unhook, take down.

dédaigner, to disdain.

dedans, inside, within; **au —** de, inside of.

défaire, to undo.

défaut, *m.* defect, fault, imperfection.

défendre, to defend; prohibit.

défiance, *f.* mistrust.

défiguré, -e, disfigured.

défilé, *m.* pass, defile; defiling (*of troops*).

défiler, to defile, march.

défoncé, -e, dug up.

défoncer, to stave, break in.

dégagé, -e, free, clear; flippant.

dégager, to loosen.

dégénérer, to degenerate.

dégoût, m. disgust.

dégoûté, -e, disgusted, weary, tired of.

dégouttant, -e, dripping.

degré, m. degree, step.

dehors, outside, outdoors.

déjà, already.

déjeuner, to breakfast, lunch.

déjeuner, m. breakfast, luncheon.

délégué, m. delegate.

délicat, -e, delicate.

délicatesse, f. delicacy, daintiness; —s, sweets.

délice, m. delight.

délicieusement, deliciously.

délicieux, -se, delicious.

délivrer, to liberate.

déloger, to dislodge, move.

demain, to-morrow.

demander, to ask; se —, wonder; — en mariage, ask for the hand of.

demeurer, to reside, live, remain, be.

demi, -e, half; — -cent, half a hundred; adv. à —, half.

demoiselle, f. young lady, Miss.

démolir, to demolish.

démon, m. demon, ghost.

démonter, to take to pieces; cela se démonte, it can be taken apart.

dénoncer, to denounce.

dent, f. tooth.

dentelle, f. lace.

dénué, -e, devoid.

dépareillé, -e, incomplete, odd (volume).

déparer, to mar, spoil.

départ, m. departure.

déplaire, to displease.

déplorable, deplorable.

déployer, to unfold, display, spread out.

déprimé, -e, flattened, depressed.

depuis, since, for, from.

député, m. deputy, member of Parliament.

déranger, to derange, disturb.

dernier, -ère, last.

derrière, prep. and adv. behind.

des (de + les), of the, from the, by the, in the.

dès, prep. even, from, as early as; — que, as soon as.

désagréable, disagreeable, unpleasant.

désagrément, m. unpleasantness, annoyance.

descendre, to descend, go down.

désert, -e, deserted, empty.

désert, m. desert, wilderness.

désespéré, -e, in despair.

désespérer, to drive to despair; se —, despair.

désespoir, m. despair.

désigner, to designate, denote, betoken.

désintéressé, -e, disinterested, impartial.

désir, m. desire.

désirable, desirable.

désobéir, to disobey.

désolé, –e, desolate.

désoler, to grieve.

désordre, m. disorder, confusion.

desquels = de + lesquels.

desséché, –e, dried up.

dessécher, to dry up, wither.

dessiner, to draw, sketch.

dessous, adv. and prep. below, under.

dessus, adv. and prep. on, upon, over, above; au —, above, over, higher up; par —, over.

destinée, f. fate.

détacher, to disengage; se —, stand out.

détail, m. detail.

détailler, to examine, consider in detail.

déterminer, to determine.

détestable, detestable.

détour, m. winding, turn.

détourner, to divert, turn away.

détresse, f. distress.

détruire, to destroy.

deuil, m. mourning; porter le — de, to be in mourning for.

deux, two.

devant, before.

devanture, f. show window.

développer, to develop.

devenir, to become, grow.

deviner, to divine, foretell, guess.

devoir, to owe, must, is to, be obliged to, ought to, have to.

devoir, m. duty; work, paper, task; honor.

dévorer, to devour.

dévotion, f. piety.

dévoûment, m. devotion.

dévouer, to devote; se —, sacrifice oneself.

diable, m. devil.

dicter, to dictate.

dictionnaire, m. dictionary.

Dieu, God; dieux, gods; mon—! goodness! Heavens!

différent, –e, different.

différer, to differ, change, be different.

difficile, difficult.

difficulté, f. difficulty.

difforme, deformed, shapeless.

digne, worthy, deserving.

dignité, f. dignity, power.

dimanche, m. Sunday.

dîner, to dine.

dîner, m. dinner.

diplomatie, f. diplomacy.

dire, to say; c'est-à- —, that is to say, that is, in fact.

diriger, to direct.

disciple, m. disciple.

discours, m. speech; — latin, latin theme.

disparaître, to disappear.

dispenser, to dispense, distribute.

disperser, to scatter.

disposer (de), to make use of.

disputer, to dispute, argue.

distance, f. distance; à —, from a distance.

distinctement, distinctly.

distinctif, –ve, distinctive.

distraction, *f.* absentmindedness.

distraire, to distract, entertain, amuse.

distrait, –e, absentminded.

distribuer, to distribute.

distribution, *f.* distribution.

divers, –e, different, diverse.

divertir, to entertain.

divin, –e, divine.

dix, ten.

dix-sept, seventeen.

dix-septième, seventeenth.

dizaine, *f.* about ten.

docte, scholarly.

docteur, *m.* doctor.

doigt, *m.* finger; **deux —s de vin**, a little wine.

domaine, *m.* domain.

domestique, domestic, private.

domiciliaire, domiciliary; **visite —**, house search.

dommage, *m.* damage; pity; **c'est —**, it is a pity.

don, *m.* gift.

donc, *conj.* then.

donner, to give; **— sur**, look out on, open on.

dont, *rel. pron.* whose, of (from, by, for, with, in) whom *or* which.

doré, –e, gilded.

dormeur, *m.* sleeper; **quel — tu fais!** what a sleeper you are!

dos, *m.* back.

dossier, *m.* back.

doucement, quietly, slowly, gently.

douceur, *f.* gentleness, sweetness, softness, comfort, pleasure; **—s**, pleasant words.

douillette, *f.* wadded gown.

douleur, *f.* pain, suffering.

douloureux, –se, painful.

doute, *m.* doubt.

douter, to doubt.

doux, –ce, sweet, kind, gentle, calm, soft.

douzaine, *f.* dozen.

douze, twelve.

drame, *m.* drama.

drapeau, *m.* flag.

droit, –e, right, upright, right side; *adv.* straight.

drôle, droll, funny, odd, strange, queer.

Drouot. See note to page 47.

du (de + le), of, from the; some.

dunette, *f.* poop, round-house.

dur, –e, hard.

durant, during.

durée, *f.* duration.

durer, to last.

Dusseldorf. See note to page 42.

duvet, *m.* down.

E

eau, *f.* water; **aux —x**, at a watering place.

éblouir, to dazzle.

ébouriffé, –e, in disorder, flurried, ruffled.

ébranler, to shake.

écaille, *f.* scale.

écarter, to turn aside, thrust *or* throw back.

échanger, to exchange.

échapper (à), to escape, pass above the head of; s'—, escape, flow.

échelle, f. ladder.

échoppe, f. shop, stall.

éclairer, to light, enlighten.

éclat, m. brightness, splendor, lustre.

éclatant, -e, bright, shining, glittering.

éclater, to burst forth, begin.

écœurant, -e, sickening.

école, f. school.

économe, thrifty.

économie, m. economy, thrift.

écorcher, to skin, flay, take the skin off.

écoulement, m. flowing.

s'écouler, to run out, glide or slip away.

écouter, to listen to.

écraser, to crush.

s'écrier, to exclaim.

écrire, to write.

écriture, f. handwriting.

écrivailler, to scribble.

écu, m. escutcheon, shield.

écurie, f. stable.

éditeur, m. publisher.

Édouard, Edward.

effacer, to efface; s'—, grow dim, appear dimly, disappear.

effarement, m. bewilderment.

effet, m. effect; en —, in fact, indeed; à l'— de, in order to.

effleurer, to touch slightly.

s'efforcer, to endeavor, make an effort.

effort, m. effort.

effrayant, -e, frightful.

effrayer, to frighten.

effroyable, frightful, horrible.

égal, -e, égaux, equal; c'est —, after all, never mind, but, yet, however.

égaler, to equal, come up to.

égard, m. regard, respect; à leur —, with respect to them.

égayer, to enliven.

église, f. church.

égoïste, selfish.

élan, m. dash, enthusiasm for, spring, bound.

élastique, of rubber.

élégamment, elegantly.

élégant, -e, elegant, adorned.

élément, m. element.

éléphant, m. elephant.

élève, m. pupil.

élevé, -e, bred, brought up.

élever, to bring up, raise; s'—, rise.

elle, pron. she, her, it.

éloigné, -e, distant.

éloquence, f. eloquence.

Élysée, m. Elysium (the place, in ancient mythology, where the dead dwelt).

émail, -aux, m. enamel.

embarquer, to sail.

embarras, m. embarrassment.

embarrasser, to embarrass.

embaumé, -e, fragrant.

embellir, to beautify.

embrassement, m. embrace.

embrasser, to embrace, kiss.

émerveiller, to surprise; s'—, marvel. wonder.

émigré, *m.* émigré (*a nobleman who fled from France
during the Revolution*).

emmener, to take away, fetch
away.

émotion, *f.* emotion, feeling.

émousse, *f.* See note to page
120.

empaillé, –e, stuffed.

empailler, to stuff with straw.

empanaché, –e, plumed.

s'emparer, to seize, take pos-
session.

empêcher, to prevent.

emplette, *f.* purchase.

emplir, to fill; s'—, fill.

emploi, *m.* function.

employer, to use.

emporter, to carry, carry
away.

empreinte, *f.* imprint, trace.

s'empresser (de), to be eager,
hasten.

emprunter, to borrow.

en, *prep.* in; into, to; on.

en, *pron. adv.* of it, of him, of
her, of them; with it, *etc.;*
by it, *etc.;* from it, *etc.;*
thence, from these; some,
any.

encens, *m.* incense.

enchaîner, to chain; s'—, be
linked together.

enchanté, –e, delighted.

enchanter, to delight, en-
chant.

enclin, –e, prone, inclined.

encombré, –e, encumbered,
full.

encore, still, yet, even, again;
— une fois, once more.

encourager, to encourage.

encourir, to incur.

encre, *f.* ink.

endommager, to damage.

endormi, –e, asleep.

s'endormir, to fall asleep.

endroit, *m.* place.

endurcir, to harden.

enfance, *f.* childhood.

enfant, *m.* child.

enfantillage, *m.* act of child-
ishness.

enfantin, –e, childish, childlike.

enfermer, to shut, shut up in,
confine; s'—, shut one-
self up.

enfin, finally, at last, in short.

enfoncer, to thrust, break
open, pull down, put,
plunge, sink.

s'enfuir, to flee, run away.

enfumé, –e, smoky.

engager, to engage; s'—, en-
list.

engloutir, to swallow up.

énigmatique, enigmatic.

enivrer, to intoxicate; s'—,
become intoxicated.

enlever, to take away, lift up,
remove.

ennemi, *m.* enemy, foe.

ennui, *m.* boredom, tedious-
ness.

ennuyer, to bore, weary, annoy.

énorme, enormous.

enragé, –e, mad.

enrouler, to roll; s'—, roll,
roll up.

enseigne, *f.* sign.

enseignement, *m.* instruction.

enseigner, to teach.

ensemble, together; tout —, all at once.

ensemble, *m.* whole, general appearance or effect.

ensevelir, to bury.

ensuite, after, afterward, next.

entendre, to hear, understand, mean; s'—, agree, get along, be understood.

entêté, –e, stubborn.

s'entêter (dans), to persist in.

entier, –ère, entire, whole; tout —, entirely.

enthousiasme, *m.* enthusiasm.

enthousiaste, enthusiastic.

entourer, to surround.

entre, *prep.* between, in, among.

entrée, *f.* entrance.

entreprise, *f.* undertaking.

entrer, to enter.

entretenir, to keep up.

entrevoir, to see dimly.

entr'ouvert, –e, half open.

entr'ouvrir, to open a little, set ajar; s'—, half open.

envahir, to invade, spread over, overcome.

envelopper, to wrap up, surround, fill, envelop.

envie, *f.* desire, envy; avoir —, to feel like.

envier, to envy.

environs, *m. pl.* neighborhood, vicinity.

s'envoler, to fly away.

envoyer, to send.

épagneul, *m.* spaniel.

épaisseur, *f.* thickness.

épargner, to spare.

épars, –e, scattered.

épaule, *f.* shoulder.

épée, *f.* sword.

éperdument, passionately.

éperon, *m.* spur.

épicier, *m.* grocer.

épigraphe, *m.* motto.

éponge, *f.* sponge.

époque, *f.* epoch, time.

épouser, to marry.

épouvante, *f.* fright, terror.

époux, *m.* husband.

épreuve, *f.* proof, test, trial.

éprouver, to experience, feel, test, try.

ermitage, *m.* hermitage.

ermite, *m.* hermit.

errant, –e, wandering.

errer, to wander.

érudition, *f.* learning, scholarship.

escabeau, *m.* stool.

escalier, *m.* staircase.

Eschyle, Æschylus.

esclave, *m. f.* slave.

Ésope, Æsop. See note to page 106.

espace, *m.* space.

espèce, *f.* kind, sort, species.

espièglerie, *f.* naughtiness, prank.

esprit, *m.* mind; sense; intellect, wit, spirit; — fort, strong-minded person, free thinker. See note to page 62.

essayer, to try.

essentiel, –le, essential.

estafette, *f.* messenger, estafette.

estampe, *f.* print, engraving. See note to page 24.

estimer, to appreciate, esteem, prize.

estrade, *f.* platform, stage.

et, *conj.* and.

établi, *m.* work-bench.

établissement, *m.* establishment, settlement, marriage.

étage, *m.* story (*of a house*).

étalage, *m.* display.

étaler, to spread out.

état, *m.* state, condition.

étau, *m.* vise.

été, *m.* summer.

éteint, –e, extinguished.

étendre, to extend, spread, stretch out; **s'—,** extend.

étendue, *f.* extent.

éternel, –le, eternal.

étêté, –e, headless.

ethnographie, *f.* ethnography.

étinceler, to shine, sparkle.

étoile, *f.* star.

étoffe, *f.* stuff, cloth.

étonnant, –e, astonishing.

étonner, to astonish.

étouffé, –e, smothered.

étouffer, to suffocate, smother, choke.

étourderie, *f.* thoughtlessness.

étourdi, *m.* thoughtless boy, hare-brained fellow.

étrange, strange.

étranger, –ère, strange, foreign; *m.* stranger, foreigner.

étrangeté, *f.* strangeness.

être, to be.

être, *m.* being, creature.

étroit, –e, narrow.

étroitement, tightly.

étude, *f.* study, study room. See note to page 31.

eux, *pron.* they, them; **—-mêmes,** themselves.

évanoui, –e, vanished; fainted.

s'évanouir, to vanish; faint.

éveiller, to awaken.

événement, *m.* event.

évêque, *m.* bishop.

évidemment, evidently.

éviter, to avoid.

évoquer, to evoke, call up.

exact, –e, accurate, exact.

exactement, exactly.

exaltation, *f.* exaltation.

exalter, to exalt, stir, excite.

examiner, to examine.

exaucer, to hear the prayer of, grant, realize.

excéder, to exceed.

excellent, –e, excellent.

exceller, to excel.

exception, *f.* exception.

excessif, –ve, excessive.

exemple, *m.* example, instance.

exercer, to exercise, train, use.

exhorter, to exhort.

exhumer, to disinter, bring to light.

exigence, *f.* exigency, need, requirement.

exiger, to exact, require.

exil *m.* exile.

existence, *f.* existence, life; being.

exister, to exist.

expérience, *f.* experience.

expiatoire, expiatory, in atonement, as sin offering.

explication, *f.* explanation, commentary (*of texts*).

expliquer, to explain.

explorer, to explore, investigate, search.

exposer, to present, expose, show.

expression, *f.* expression.

exprimer, to express.

extase, *f.* ecstasy.

extérieur, -e, external.

extérieur, *m.* exterior; outside appearance.

externe, *m.* day-pupil.

extraordinaire, extraordinary.

extravagant, -e, absurd, extravagant.

extrême, extreme.

extrêmement, extremely.

extrémité, *f.* extremity.

F

fable, *f.* fable.

fabricant, *m.* manufacturer, maker.

face, *f.* face, look; en —, opposite.

facile, easy.

facilité, *f.* ease; avoir une grande — à vivre, to be very easy-going.

façon, *f.* manner; à la —, from the manner, the way.

faction, *f.* faction, party.

faculté, *f.* faculty, power, ability.

fagot, *m.* fagot.

faible, weak, feeble.

faible, *m.* weakness, foible, partiality.

faïence, *f.* earthenware, crockery.

faim, *f.* hunger.

faire, to make, do, cause, give, play the part of; se —, become; quel dormeur tu fais! what a sleeper you are!; c'était bien —. See note to page 9; il faisait chaud, it was warm; il se fait tard, it is getting late; quel revenant elle faisait, . . . she was; — des récits, to tell tales; vous êtes faite comme . . ., you look like . . .; faites vite, hurry up.

faiseur, -se, *m. f.* maker.

fait, *m.* fact, deed; en —, in reality; de mon —, through my fault.

falaise, *f.* cliff.

falloir, to be necessary; peu s'en fallut, almost; il fallait voir, you ought to have seen.

familier, -ère, familiar.

fameux, -se, famous, glorious; un — dormeur, a great sleeper.

famille, *f.* family.

fange, *f.* mire.

fantaisie, *f.* fancy, whim.

fantastique, fantastic.

fantôme, *m.* phantom, spectre.

farouche, fierce, wild.

fastidieux, -se, tedious, tiresome.

fatalité, *f.* fate.

fatigue, *f.* fatigue, weariness.

faubourg, *m.* suburb, section of city; — **St. Germain,** old section of Paris.

faussé, -e, bent, twisted.

faute, *f.* fault, mistake; — **de,** for lack of, incapable of.

fauteuil, *m.* armchair.

faveur, *f.* favor; **à la — de la nuit,** under cover of the night.

favori, *m.* whisker.

fécond, -e, fruitful, big, full. See note to page 17.

fée, *f.* fairy.

félicité, *f.* happiness.

femme, *f.* wife, woman; **elle était — à,** she was capable of.

fendre, to split, slit.

fenêtre, *f.* window.

fente, *f.* cleft, crack.

fer, *m.* iron.

ferraille, *f.* old iron.

fermement, firmly, stoutly.

fermer, to close, shut.

féroce, ferocious.

fertile, fruitful, ingenious.

fesser, to whip, spank.

feu, -x, *m.* fire.

feuille, *f.* leaf.

feuilleter, to turn over (*the pages of*), thumb.

février, *m.* February.

fiancé, -e, engaged.

ficelle, *f.* string.

fiche, *f.* slip of paper. See note to page 46.

fiction, *f.* fiction, fictitious story.

fidèle, faithful.

fidélité, *f.* faithfulness.

fier, -ère, proud.

fièrement, proudly.

figure, *f.* face, figure, form.

se figurer, to imagine, fancy.

fil, *m.* thread, yarn, wire.

fille, *f.* daughter, girl.

fils, *m.* son.

fin, -e, fine, delicate, shrewd.

fin, *m.* end; **mettre —,** to terminate.

finalement, finally.

finesse, *f.* keenness, shrewdness, delicacy.

finir, to finish; **en —,** come to an end.

fixé, -e, fixed.

fixer, to fix; **se —,** be fixed.

flanc, *m.* flank, side.

flâner, to saunter, linger, loaf.

flatter, to flatter.

flatteur, -se, flattering.

fléau, *m.* scourge.

flèche, *f.* arrow, dart, spire.

fleur, *f.* flower.

fleuri, -e, flowery.

fleurir, to bloom, blossom; **il florissait des joues,** his cheeks were florid.

flot, *m.* wave; **s'échapper à —s,** to flow abundantly.

flotter, to float, swim, drift.

flûte, *f.* flute.

foi, *f.* faith; **ma —,** upon my faith, forsooth.

foin, *m.* hay.

fois, *f.* time; **à la —,** both; **encore une —,** once more.

folie, *f.* craze, madness, insanity, folly.

folle, *see* **fou.**

foncièrement, thoroughly, fully.

fonction, *f.* function.

fond, *m.* bottom, back, seat (*of trousers*), background; au —, in the main.

fonder, to found.

fondre, to melt; — en larmes, burst into tears.

fondrière, *f.* bog, slough, pit-fall.

fonds, *m.* property, stock.

fontaine, *f.* fountain, cistern, tap.

Fontainebleau. See note to page 25.

force, *f.* strength, might; *adv.* many; de — à mettre, see note to page 45.

forcer, to oblige.

forgé, –e, forged; fer —, wrought iron.

forme, *f.* form, shape.

former, to form, shape, make.

fort, –e, strong, vigorous; *adv.* very, very much, much.

forteresse, *f.* fortress.

fortuit, –e, fortuitous, accidental.

fortune, *f.* fortune.

fosse, *f.* pit, hole, den.

fossette, *f.* dimple.

fou, fol, folle, mad, insane, crazy, foolish; — rire, wild laughter.

foudre, *f.* lightning.

fouet, *m.* whip.

fouille, *f.* digging, search.

fouiller, to search.

fouillis, *m.* confusion.

fournir, to provide, furnish.

fourrer, to thrust, force, cram.

foyer, *m.* hearth.

fracas, *m.* crash, noise.

frais, –che, fresh.

français, –e, French; *m. f.* Frenchman *or* — woman.

François, Francis.

frange, *f.* fringe.

frappant, –e, striking.

frapper, to knock, strike, impress.

frémir, to shiver.

fréquenter, to frequent.

frère, *m.* brother.

frisé, –e, curly.

frisson, *m.* shiver, thrill.

frissonner, to shiver.

frivole, frivolous.

froid, –e, cold.

froc, *m.* cowl; jeter le — aux orties, to throw off the cowl.

front, *m.* forehead.

frotter, to rub.

fruit, *m.* fruit; — confit, preserved fruit.

fruste, worn, rough.

fuir, to flee.

fumée, *f.* smoke.

fumeux, –se, smoky.

funèbre, mournful.

funérailles, *f. pl.* funeral.

funeste, fatal, disastrous.

furet, *m.* ferret.

fureter, to ferret, search.

fureur, *f.* fury, madness, frenzy.

furieux, –se, furious.

fusée, *f.* rocket; rire en —, sudden peal of laughter.

fusil, *m.* gun.

futaille, *f.* cask, barrel.

G

gagner, to win, gain, reach.
gai, -e, cheerful, merry.
gaieté, f. gaiety, merriment.
gaillard, m. fellow.
gaine, f. sheath.
gala, m. gala, ceremony.
Galate, m. Galatian. See note
   to page 107.
galop, m. gallop; prendre le
   —, to start galloping.
gamin, m. urchin, boy.
garanti, -e, guaranteed.
garçon, m. boy.
garde, f. watch; prendre —,
   to pay attention, notice.
garde, m. guard.
garde-manger, m. larder, pantry.
garder, to keep.
gardien, -ne, m. f. guardian.
gars, m. fellow, lad.
gâteau, m. cake; — sec,
   cake, cooky.
gâter, to spoil.
gauche, left side.
Gaule, f. Gaul.
gazelle, f. gazelle.
gazette, f. gazette, newspaper.
géant, m. giant.
geindre, to moan, wail.
gémissant, -e, moaning.
gémissement, m. moan, wail.
gêner, to embarrass, annoy.
général, -aux, m. general.
généralement, generally.
génération, f. generation.
généreusement, generously.
généreux, -se, generous.
génie, m. genius.

genou, -x, m. knee; à —x, on
   his knees.
genre, m. genus, kind, style,
   gender.
gens, m. f. plur. people, men;
   — de service, servants.
gentil, -lle, pretty, nice, good,
   amiable, sweet.
gentiment, nicely.
génuflexion, f. genuflexion.
gerbe, f. sheaf, bundle.
germer, to germinate, spring
   up.
geste, m. gesture.
gibecière, f. game-bag, school-
   bag.
gibet, m. gibbet, gallows.
gifle, f. slap in the face.
gilet, m. waistcoat, vest.
giroflée, f. wallflower.
glace, f. ice; looking-glass,
   mirror.
glacer, to freeze; se —, become chilled, frigid, severe.
glaive, m. sword.
glisser, to glide, slip.
gloire, f. glory.
glorieux, -se, glorious; les
   trois —ses (journées), see
   note to page 95.
glossateur, m. commentator.
gonflé, -e, swollen.
gonfler, to swell.
gouffre, m. abyss, pit.
goût, m. taste.
goûter, to taste, appreciate.
goûter, m. lunch, luncheon.
goutte, f. drop; gout.
grâce, f. grace, charm; plur.
   graces; — à, thanks to.
grade, m. grade, degree.

grain, *m.* grain; grape; bit.

grammaire, *f.* grammar.

grand, **-e**, large; **—s personnes**, older people; **—'- chose**, much; **—s ouverts**, wide open.

grandement, grandly, greatly.

grandeur, *f.* greatness; **— d'âme**, magnanimity.

grand'maman, *f.* grandmamma, grandmother.

grand'mère, *f.* grandmother.

grand-père, *m.* grandfather.

grange, *f.* barn.

grappe, *f.* bunch, cluster.

gras, **-se**, fat, greasy; unctuous (*voice*).

grave, heavy, grave, serious, solemn.

gravement, gravely, seriously.

graver, to engrave.

gravure, *f.* engraving, print, picture.

gré, *m.* pleasure, taste, mind, liking; **à mon —**, according to my taste.

Grèce, *f.* Greece.

Grec, **-cque**, *m. f.* Greek.

gréement, *m.* rigging.

grêle, *f.* hail; (*fig.*) shower.

grelot, *m.* bell.

grelotter, to shiver; **— la fièvre**, shiver with fever.

grève, *f.* shore.

grief, *m.* grievance, complaint.

grièvement, seriously, dangerously.

griffonner, to scrawl, scribble.

grille, *f.* railing, grating.

grimace, *f.* wry face, grimace.

grimaud, *m.* schoolboy, urchin, scribbler. See note to page 106.

grimoire, *m.* unintelligible writing.

grincer, to grind, gnash.

gris, **-e**, gray.

grisonner, to grow gray.

gronder, to scold, reprove.

gros, **-se**, big, large, heavy, full; *adv.* much, a great deal.

grotesque, grotesque; **les —s**, grotesque pictures.

gué, *m.* ford.

guère (**ne**), little, not much, not many, hardly.

guerre, *f.* war; **faire grand'—**, to wage war. See note to page 64. **Homme de —**, warrior.

gueux, *m.* beggar, rascal.

guide, *f.* rein.

guillotiner, to guillotine.

guirlande, *f.* garland.

guitare, *f.* guitar.

gymnaste, *m.* gymnast.

H

habile, skilful.

habiller, to dress, clothe; **s'—**, dress.

habit, *m.* suit of clothes.

habiter, to live (in), reside in.

habitude, *f.* habit.

haie, *f.* hedge; **— vive**, quickset hedge.

haine, *f.* hatred.

haïr, to hate.

haleine, *f.* breath; **tout d'une —**, at one stretch.

haltère, *m.* dumb-bell.

hameau, *m.* hamlet.

hanter, to frequent, haunt.

hardi, –e, bold, daring.

harmonieusement, harmoniously.

hasard, *m.* chance; par —, by chance.

hasardeux, –se, hazardous.

hauban, *m.* shroud.

hausser, to raise, shrug.

haut, –e, high, tall; le Très-Haut, the Almighty; *adv.* aloud; là- —, up there.

Haut-Rhin, department of Alsace-Lorraine, before the war of 1870.

hautain, –e, haughty.

hélas! alas!

herbier, *m.* herbarium.

hérédité, *f.* heredity, hereditary transmission.

hérésie, *f.* heresy.

hérissé, –e, bristling.

héroïne, *f.* heroine.

héroïsme, *m.* heroism.

héros, *m.* hero.

heu! hem!

heure, *f.* hour; de bonne —, early; tout à l'—, a while ago, in a little while.

heureusement, fortunately, happily.

heureux, –se, happy.

heurter, to run into, bump against.

hideux, –se, hideous.

hier, yesterday.

histoire, *f.* history, tale, story.

historié, –e, embellished, decorated.

hiver, *m.* winter.

hocher, to toss, shake, wag.

Homère, Homer.

hommage, *m.* homage.

homme, *m.* man.

honnête, honest.

honneur, *m.* honor.

honorer, to honor.

honte, *f.* shame.

honteux, –se, shameful, ashamed.

horizon, *m.* horizon.

horloge, *f.* clock.

horreur, *f.* horror; faire —, to inspire with horror.

horrible, horrible.

hors, *prep.* out, out of, except

hôtel, *m.* hotel, house, mansion; — de ville, city hall.

hôtesse, *f.* hostess.

housse, *f.* cover.

huée, *f.* hooting, hiss.

huis, *m.* door; à — clos, behind closed doors. See note to page 11.

huit, eight.

huitième, *f.* eighth grade.

humain, –e, human.

humaniste, *m.* humanist.

humanité, *f.* humanity; kindness; les —s, humanities (*classical studies*).

humble, humble, lowly; les —s, *m. pl.* the humble.

humer, to inhale.

humeur, *f.* humor.

humilié, –e, humiliated.

hune, *f.* top, beam.

hurler, to howl, yell.

hyménée, *m.* Hymen, marriage.

I

ici, here. See note to page 18.

idéal, *m.* ideal.

idée, *f.* idea.

idiot, *m.* idiot.

ignorant, –e, ignorant.

ignoré, –e, unknown.

ignorer, not to know.

il, *pron.* he, it; — y a, there is, there are; ago; — est, there is, there are.

île, *f.* island, isle.

illusion, *f.* illusion, delusion.

illustrer, to render illustrious.

image, *f.* picture.

imaginaire, fictitious.

imagination, *f.* imagination.

imaginer, to imagine.

imbécile, imbecile, weak-minded.

imbécillité, *f.* imbecility.

imitation, *f.* imitation; Imitation de Jésus-Christ, Imitation of Christ.

imiter, to imitate.

immaculé, –e, immaculate.

immense, immense, boundless.

immobile, immovable, motionless.

immobilité, *f.* immoveableness.

immortalité, *f.* immortality.

immuable, unchangeable.

impatience, *f.* impatience; ses —s, her fits of impatience.

impatienté, –e, out of patience.

impertinence, *f.* impertinence, impertinent thing; dire des —s, to speak impertinently.

impétueux, –se, impetuous.

impitoyable, pitiless.

importance, *f.* importance.

importer, to import, matter, signify; il n'—, no matter.

impossible, impossible.

impression, *f.* impression.

imprévu, –e, unforeseen unexpected.

imprimer, to print.

imprimerie, *f.* printing house.

imprimeur, *m.* printer.

incapable, incapable.

incendie, *m.* fire, conflagration.

incessant, –e, ceaseless.

incidence, *f.* phrase thrown in, incidental clause.

incident, *m.* incident.

incliner, to be disposed to.

incommode, inconvenient.

incomparable, matchless, incomparable.

incompréhensible, incomprehensible.

inconnu, –e, unknown.

inconvenance, *f.* impropriety.

incrédulité, *f.* unbelief, scepticism.

incroyable, unbelievable.

inculte, uneducated, unpolished.

indéfiniment, indefinitely.

indestructible, indestructible.

index, *m.* forefinger.

indice, *m.* sign.

indicible, unspeakable, great, intense.

indifférent, –e, indifferent.

indigne, unworthy.

indigné, –e, indignant.

indiscret, –ète, indiscreet.

individu, *m.* individual.

indulgence, *f.* indulgence.

indulgent, –e, indulgent.

industrie, *f.* industry.

ineffable, ineffable, unspeakable.

inepte, absurd.

inerte, inert, motionless.

inexorable, inexorable.

infaillible, infallible.

infériorité, *f.* inferiority.

infini, –e, infinite, boundless.

infiniment, infinitely.

infinité, *f.* infinite number.

infirme, *m.* invalid, infirm person.

inflexible, inflexible.

infliger, to inflict; *see* retenue.

influence, *f.* influence.

infructueux, –se, fruitless.

s'ingénier, to strive, contrive.

ingénieux, –se, ingenious, clever.

ingénuité, *f.* innocence, artlessness.

s'initier, to become initiated, get acquainted with.

injurieux, –se, abusive, injurious.

injuste, unjust.

innocence, *f.* innocence.

innocent, –e, innocent, guiltless.

innombrable, innumerable.

inquiet, –ète, anxious, nervous.

inquiétude, *f.* anxiety, uneasiness.

insensiblement, gradually, imperceptibly.

insinuer, to insinuate.

insister, to insist.

insondable, unfathomable.

insouciance, *f.* carelessness.

inspecteur, *m.* inspector (*of schools*).

inspirer, to inspire; s'—, draw one's inspiration, be inspired.

instant, *m.* moment, instant.

instinct, *m.* instinct; d'—, par —, instinctively.

instinctif, –ve, instinctive.

Institut, *m.* Institute. See note to page 32.

instruire, to instruct, inform.

instrument, *m.* instrument, tool.

insu, *m.* absence of knowledge; à l'— de, unknown to.

insupportable, unbearable, insupportable.

intellectuel, –le, intellectual.

intelligence, *m.* intelligence, understanding.

intelligent, –e, intelligent.

intention, *f.* intention.

interdire, to forbid.

intéressant, –e, interesting.

intéresser, to interest.

intérêt, *m.* interest.

intérieurement, inside.

interne, inner, internal; *m.* boarder (*in a lycée*).

interroger, to question, interrogate.

intervalle, *m.* interval.

intime, intimate.

inutile, useless.

invariablement, invariably.

invasion, *f.* invasion.

inventer, to invent.

invention, *f.* invention.

invincible, invincible.

invisible, invisible.

irréparable, irreparable.

irrévérence, *f.* disrespect.

irrité, –e, angry.

irriter, to irritate, provoke.

isolé, –e, isolated.

isolement, *m.* solitude, loneliness.

issue, *f.* outcome.

ivoire, *m.* ivory.

J

j', *see* je.

Jacobin, –e, Jacobin (*of the revolutionary party of that name*). See note to page 54.

jadis, of old, of yore, formerly.

jaillir, to flow, burst forth.

jalousie, *f.* jealousy.

jaloux, –se, jealous.

jamais, ever; à —, forever; ne —, never.

jambe, *f.* leg.

Japon, *m.* Japan.

japper, to yelp.

jardin, *m.* garden.

jaune, yellow.

jaunir, to turn yellow.

je, *pron.* I.

Jésuite, *m.* Jesuit.

Jésus! *m.* Heavens! Goodness!

jeter, to throw.

jeu, *m.* play, game, sport.

jeudi, *m.* Thursday.

jeune, young.

jeûner, to fast, abstain.

jeunesse, *f.* youth.

joie, *f.* joy.

joli, –e, pretty, handsome.

joliment, prettily.

joue, *f.* cheek.

jouer, to play, sport; se — de, sport with, play with, make light of.

jouet, *m.* plaything, toy.

jouir (de), to enjoy.

jouissance, *f.* enjoyment.

joujou, *m.* plaything, toy.

jour, *m.* day, light.

journée, *f.* day.

jovial, –e, jovial, jolly.

joyeusement, joyously.

joyeux, –se, joyous, happy.

jugement, *m.* judgment.

juger, to judge, believe, deem.

Juif, –\e, *m. f.* Jew, Jewess.

juillet, *m.* July.

Julie, Julia.

jupe, *f.* skirt, petticoat.

jusque, as far as; —-là, so far.

juste, just, sound, fair; *adv.* exactly.

justement, justly, precisely.

justesse, *f.* exactitude, accuracy.

justice, *f.* justice, right; je dois leur rendre une —, I must say this for them.

K

kilomètre, *m.* kilometer (*about five-eighths of a mile*).

L

la, *art. s. f.* the; *conj. pron.* her, it.

là, there, thither; **de çà, de —**, here and there.

là-bas, down there, yonder.

labeur, *m.* labor, work.

labyrinthe, *m.* labyrinth.

lac, *m.* lake.

lacérer, to tear, cut up.

laid, -e, ugly, homely.

laïque, *m.* layman.

laisser, to leave, let; **ne pas — de**, nevertheless, all the same.

laitière, *f.* milkwoman.

laiton, *m.* brass.

lambeau, *m.* rag.

lame, *f.* plate, blade, board (*of floor*).

lamentable, lamentable.

lamentation, *f.* lamentation.

se lamenter, to bewail, lament.

lampe, *f.* lamp.

lance, *f.* lance, spear.

lancer, to throw, hurl; **— un rire en fusée**, to laugh explosively.

langage, *m.* language, style.

langue, *f.* tongue; language.

langueur, *f.* languor.

lanterne, *f.* lantern.

lapin, *m.* rabbit.

larcin, *m.* theft.

lard, *m.* bacon.

larme, *f.* tear.

las, -se, weary.

lassé, -e, tired.

lasser, to weary; **se —**, become tired.

lassitude, *f.* weariness, lassitude.

latin, -e, Latin.

latin, *m.* Latin, the Latin language.

lauréat, *m.* laureate.

laurier, *m.* laurel.

laver, to wash.

le, *art. m. sing.* the; *conj. pers. pron. sing. m. neut. dir. obj.* him, it.

leçon, *f.* lesson.

lecture, *f.* reading.

légende, *f.* legend; title and explanation (*of a picture*).

léger, -ère, light, slight.

lendemain, *m.* the following day, day after.

lent, -e, slow.

lentement, slowly.

lequel, laquelle, *m. f.* **lesquels, lesquelles**, *m. f. pl., rel. pron.* which, who, whom, that; *inter. pron.* which one? which?

les, *art. m. f. pl.* the; *conj. pers. pron. m. f. pl. dir. obj.* them.

lettre, *f.* letter; **à la —**, literally.

lettré, *m.* scholar.

leur, *poss. adj.* their; *pron.* to them, them.

lever, to raise, lift; **se —**, get up.

lèvre, *f.* lip.

liaison, *f.* acquaintance, intimacy.

libérateur, –trice, liberating, deliverer.

liberté, *f.* liberty.

libraire, *m.* bookseller.

libre, free.

licence, *f.* license, permission. See note to page 46.

lien, *m.* tie.

lier, to tie, bind.

lieu, *m.* place, spot; au — de, instead of; avoir —, to take place; avoir — de, have reason to.

lieue, *f.* league.

ligne, *f.* line, fishing rod.

limer, to file, polish.

limonade, *f.* lemonade.

linge, *m.* linen, cloth.

lion, *m.* lion.

lire, to read.

liseur, *m.* reader.

lit, *m.* bed; — à galerie, crib.

littéraire, literary.

littéral, –e, exact, literal.

livide, livid, pale.

livre, *m.* book.

livrée, *f.* livery.

livrer, to deliver, give up, wage; se —, give one's self up, wage, engage in.

locataire, *m. f.* tenant, lodger.

locomotive, *f.* locomotive.

loger, to live, inhabit.

logis, *m.* house, dwelling.

loi, *f.* law.

loin, far; — de là, far from it.

lointain, -e, distant.

Londres, *m.* London.

long, *m.* length; le — de,

alongside; tout le — de la journée, the whole day.

long, -ue, long.

longtemps, long; de —, for a long time.

longuement, at length.

Lorrain, -e, *m. f.* Lorrainer, native of Lorraine.

lors, then; dès —, from that time, ever since.

lorsque, *conj.* when.

louange, *f.* praise, commendation.

loup, *m.* wolf; — de mer, sea-wolf; — garou, bugbear.

loupe, *f.* magnifying glass.

lourd, -e, heavy.

lourdement, heavily.

lucidité, *f.* lucidity.

lueur, *f.* glimmering, gleam.

lui, *pron.* he, him, to him; — -même, himself.

luisant, -e, shining.

lumière, *f.* light.

lumineux, –se, luminous, shining, bright.

lune, *f.* moon; fancy.

lunettes, *f.* spectacles, glasses.

luron, *m.* jolly fellow.

Lutèce, *f.* Lutetia. See note to page 84.

luxe, *m.* luxury, richness.

lycée, *m.* lyceum (*secondary school*).

lys, *m.* lily; fleur de —, fleur-de-lis (*emblem of French monarchy*).

M

m', *see* me.

machine, *f.* machine, engine.

mâchoire, *f.* jaw.

madame, *f.* madam, lady, Mrs.

mademoiselle, *f.* Miss.

magicien, *m.* magician, wizard.

magnanime, magnanimous.

magnifique, magnificent, splendid.

magot, *m.* magot (*Chinese figure*).

maigre, lean, meager.

maigreur, *f.* leanness.

main, *f.* hand; battement de —s, clapping.

maintenant, now.

mais, *conj.* but.

maison, *f.* house.

maisonnette, *f.* little house.

maître, *m.* master.

maîtresse, *f.* teacher.

mal, *m.* evil, ill, harm, injury, pain, sickness; *adv.* badly.

malade, *m.* patient, sick person.

Malaquais. See note to page 7.

malgré, in spite of.

malheur, *m.* misfortune.

malheureux, –se, unhappy.

malice, *f.* roguishness, tricks.

malin, –gne, evil, cunning, sly.

malmener, to ill-treat.

malsain, –e, unhealthy.

malveillance, *f.* ill-will.

maman, *f.* mother, mamma.

mammouth, *m.* mammoth.

manche, *m.* handle; *f.* sleeve.

mandarin, *m.* mandarin.

mânes, *m. pl.* shades.

manger, to eat.

manie, *f.* mania, hobby.

maniement, *m.* handling, management.

manière, *f.* manner, way.

manifester, to manifest; se —, manifest oneself *or* itself.

manne, *f.* basket.

manœuvre, *f.* maneuvre, military operation.

manquer, to lack, want, miss.

manteau, *m.* cloak.

manuel, *m.* text-book.

marchand, –e, *m.f.* merchant; — de vin, saloon-keeper.

marche, *f.* walk, step, stair.

marché, *m.* market.

marcher, to walk.

maréchal, *m.* farrier, blacksmith.

marge, *f.* margin.

mari, *m.* husband.

mariage, *m.* marriage.

marier, to marry; se —, marry (*be married*).

marine, *f.* navy; parler —. See note to page 30.

maroquin, *m.* morocco.

marque, *f.* sign, mark, token.

marquer, to mark, show.

marraine, *f.* god-mother.

marron, *m.* chestnut; — d'Inde, horse chestnut.

Marseille, *f.* Marseilles.

marteau, *m.* hammer.

martial, –e, warlike.

martingale, *f.* martingale, gambling system. See note to page 31.

martyre, *m.* martyrdom.

matelas, *m.* mattress.

matelot, *m.* sailor.

maternel, -le, maternal.

matière, *f.* matter, subject.

matin, *m.* morning.

matinal, -e, of the morning, early.

maturité, *f.* maturity, ripeness.

maudit, -e, cursed.

mauvais, -e, bad.

me, *pron.* me, to me.

mécanique, *f.* mechanism; cheval à —, mechanical horse.

mécanique, mechanical.

méchamment, wickedly, maliciously.

méchant, -e, wicked, bad, evil, mediocre, poor.

mèche, *f.* wick; lock (*cf* hair).

méconnaissable, unrecognizable.

médaille, *f.* medal, badge.

médecin, *m.* doctor, physician

médecine, *f.* medicine.

médiocre, mediocre.

médiocrement, moderately, but little.

médiocrité, *f.* mediocrity.

méditation, *f.* meditation.

Méduse, *f.* Medusa. See note to page 15.

meilleur, -e, better; le —, la -e, the best.

mélancolie, *f.* sadness, melancholy.

mélancolique, melancholy.

mélange, *m.* mixture.

mélanger, to mix.

mêlée, *f.* mix-up, fight, scuffle, fray.

mêler, to mix, mingle, blend.

mélodieux, -se, melodious, tuneful.

mélopée, *f.* melopœia.

membre, *m.* limb.

même, *pron. adj.* same, very, self; *adv.* even; par cela —, for that very reason; en — temps, at the same time.

mémoire, *f.* memory; *m.* memorandum, essay, paper; —s, reminiscences, memoirs.

mémorable, memorable.

menaçant, -e, threatening.

ménage, household, home; faire bon —, to get along well, live on good terms.

ménagère, *f.* housewife.

mener, to lead, take.

mensonge, *m.* lie, falsehood.

mensuration, *f.* measurement.

mention, *f.* mention.

menton, *m.* chin.

menu, -e, minute, small.

mépris, *m.* contempt.

mépriser, to despise.

mer, *f.* sea.

mercier, *m.* haberdasher, notions storekeeper.

mère, *f.* mother.

méridional, -e, from the Midi; *m. f.* Southerner. See note to page 15.

mérite, *m.* merit, worth.

mériter, to merit.

merveille, *f.* marvel; à —! very well; c'est — de, it is wonderful to.

merveilleux, –se, marvelous, miraculous.

messieurs, *m.* gentlemen, Messrs.

mesure, *f.* meter (*in poetry*), measure; **à — que,** in proportion as.

mesuré, –e, guarded, moderate.

mesurer, to measure.

méthode, *f.* method.

métier, *m.* trade, craft.

mètre, *m.* yard, meter.

mettre, to put, place, use; **se — à,** begin to.

meuble, *m.* piece of furniture.

meule, *f.* mill-stone, grindstone.

meurtrier, *m.* murderer.

miaulement, *m.* mewing.

midi, *m.* noon; south of France.

mien, –ne, *poss. adj.* mine, my own.

miette, *f.* crumb.

mieux, *adv.* better.

milieu, *m.* middle, midst.

militaire, military; *m.* soldier.

mille, thousand.

mine, *f.* look, countenance, air; **me faisaient grise —,** see note to page 17.

minéralogie, *f.* mineralogy.

ministère, *m.* ministry.

ministre, *m.* minister.

minute, *f.* minute.

miracle, *m.* miracle.

miraculeux, –se, miraculous.

misérable, wretched.

misère, *f.* misery.

mode, *f.* mode, fashion, custom; **à la —,** after *or* in the fashion, fashionable.

modérantisme, *m.* extreme moderation in political views.

modeste, modest, unassuming.

modifier, to change; **se —,** become changed.

mœurs, *f. plur.* manners, habits, customs.

moi, *pron.* I, me; **—-même,** myself.

moindre, less, smaller, least.

moine, *m.* monk.

moineau, *m.* sparrow.

moins, *adv.* less, the less, fewer; **du —,** at least, at any rate; **à — que,** unless.

mois, *m.* month.

moisson, *f.* harvest, reaping.

moitié, *f.* half.

mollet, *m.* leg.

moment, *m.* moment; **par —s,** at times.

momie, *f.* mummy.

mon, ma, mes, *poss. adj.* my.

monde, *m.* world, society, people; **tout le —,** everybody; **le moins du —,** in the least.

Moniteur, *m.* Monitor (*official paper*).

monotone, monotonous.

monsieur, *m.* gentleman, Mr., sir.

monstre, *m.* monster.

monstrueux, –se, monstrous.

montagnard, *m.* mountaineer.

montagne, *f.* mountain.

monter, to mount, go up.

climb, rise; — à cheval, ride horseback.

montre, *f.* watch.

montrer, to show.

montueux, −se, hilly.

se moquer (de), to mock, ridicule, make fun of.

moquerie, *f.* mockery.

moqueur, −se, mocking, scoffing, jeering.

moral, −e, moral.

morale, *f.* code of ethics.

morceau, *m.* piece, bit.

mordre, to bite.

moricaud, *m.* black man.

morne, gloomy, dismal.

mort, *f.* death.

mort, −e, dead; *m.* dead man, corpse.

mortel, −le, mortal.

mortuaire, mortuary, funeral.

mot, *m.* word.

motif, *m.* motive.

moucher, to wipe the nose of.

mouchoir, *m.* handkerchief.

mouiller, to wet, moisten.

mourir, to die.

mousse, *m.* cabin boy, sailor.

moustache, *f.* moustache.

mouton, *m.* sheep.

moyen, *m.* means, way.

moyen, −ne, mean, middle.

moyennant, in return for, by means of.

muet, −te, mute.

municipal, municipal.

municipalité, *f.* municipality.

mur, *m.* wall.

muré, −e, walled-in.

muscle, *m.* muscle.

muse, *f.* muse.

musée, *m.* museum.

muser, to trifle, dream.

musique, *f.* music.

mutilé, −e, mutilated.

myrrhe, *f.* myrrh.

myrte, *m.* myrtle.

mystère, *m.* mystery.

mystérieux, −se, mysterious.

mystique, mystical.

N

nager, to swim.

naître, to be born.

naïvement, naïvely, artlessly.

naïveté, *f.* simplicity, artlessness.

nappe, *f.* tablecloth.

narine, *f.* nostril.

narquois, −e, cunning, sneering.

narration, *f.* narration, narrative.

natif, *m.* native.

nature, *f.* nature.

naturel, −le, natural.

naturellement, naturally.

naufrage, *m.* wreck, shipwreck.

navigation, *f.* navigation.

naviguer, to navigate.

navire, *m.* ship, vessel.

ne, not; — pas, not; — que, only, but

néant, *m.* nothing, nothingness, emptiness.

nécessité, *f.* necessity.

nef, *f.* ship, nave.

négliger, to neglect.

négociant, *m.* merchant.

neige, *f.* snow.

neiger, to snow.

nerveux, –se, nervous.

net, –te, clean, clear, distinct; *adv.* right off, short, at once.

netteté, *f.* clearness, distinctness.

nettoyer, to clean.

neuf, –ve, new.

neuf, nine.

nez, *m.* nose.

ni . . . ni, neither . . . nor.

niche, *f.* niche.

nid, *m.* nest.

noble, noble.

noblesse, *f.* nobility.

nocturne, *m.* nocturne (*piece of music*).

Noé, Noah.

noir, –e, black.

noircir, to blacken.

nom, *m.* name.

nombreux, –se, numerous.

non, no.

normand, –e, Norman.

nommer, to name; se —, be named *or* be called.

notable, remarkable.

notamment, especially.

notice, *f.* account, notice.

notion, *f.* idea, notion.

notre, *poss. adj.* our.

nouer, to tie, knot.

noueux, –se, knotty.

nourrir, to feed, nourish; — le désir, entertain the desire.

nourriture, *f.* food, nurture, culture, board.

nous, *pron.* we, us, to us.

nouveau, –el, –elle, new; —

venu, newcomer; de —, again.

nouveauté, *f.* novelty.

noyé, –e, moist, wet.

noyer, to drown.

nu, –e, naked, bare.

nuage, *m.* cloud, mist.

nuée, *f.* cloud.

nuisible, harmful.

nuit, *f.* night.

nullement, in no way, not at all, by no means.

nuptial, –e, nuptial.

O

obéir, to obey.

objecter, to object.

objet, *m.* object.

obligeance, *f.* kindness.

obliger, to oblige.

obscur, –e, dark, obscure.

obscurité, *f.* darkness.

observateur, *m.* observer.

observation, *f.* observation.

observer, to observe, notice, watch.

obstiné, –e, obstinate.

obtenir, to obtain, receive.

occupation, *f.* occupation.

occupé, –e, occupied, busy.

occuper, to busy; s'— de, be busy with.

océan, *m.* ocean.

octobre, *m.* October.

odeur, *f.* odor, scent, fragrance.

odieux, –se, hateful, odious.

œil, *m.* eye.

œuf, *m.* egg.

œuvre, *f.* work.

offenser, to offend; s'— de, take offence at, take exception to, balk at.

officiel, –le, official.

officier, m. officer.

offrir, to offer.

oiseau, m. bird.

ombrage, m. shadow.

ombre, f. shade, shadow, ghost.

omettre, to omit.

on or l'on, one, people, they.

oncle, m. uncle.

ongle, m. finger-nail, claw.

opinion, f. opinion.

or, conj. now.

or, m. gold; âge d'—, golden age.

orageux, –se, stormy.

ordinaire, ordinary; à l'—, d'—, ordinarily.

ordre, m. order.

orée, f. edge (of a wood).

oreille, f. ear; dire à l'—, to whisper.

oreiller, m. pillow.

orfroi, orphrey. See note to page 79.

organe, m. organ.

orgueil, m. pride.

original, –e, original, eccentric; m. original, model.

origine. f. origin.

ortie, f. nettle; jeter le froc aux —s, to throw off the cowl.

os, m. bone.

oser, to dare.

ossement, m. bone.

ou, conj. or; — . . . — . . ., either . . . or . . .

où, where, when, in which.

ouailles, f. pl. sheep, flock.

oublier, to forget.

oui, yes.

ours, m. bear.

ouvrage, m. work; table à —, work-table.

ouvrir, to open.

ovale, m. oval.

P

pacifique, peaceful.

pacte, m. pact, agreement.

pagaie, f. paddle.

page, f. page (of a book).

paille, f. straw.

pain, m. bread.

palais, m. palace.

pâle, pale.

palefrenier, m. groom.

palier, m. landing (of stairs).

palir, to grow pale.

palmarès, m. list of prizes.

palmier, m. palm-tree.

palpiter, to palpitate.

panier, m. basket.

panser, to groom.

pantalon, m. trousers.

pantin, m. puppet, jumping-jack.

papa, m. papa.

papetier, m. stationer.

papier, m. paper.

paquet, m. package, parcel.

par, prep. by, through, during, from, on; — cela même, for that very reason.

paradis, m. Paradise.

paraître, to appear, seem; il y paraissait, it showed.

parapluie, *m.* umbrella.

parce que, because.

parcourir, to go over; — **du regard,** glance over.

parcours, *m.* course, line.

par-dessus, *prep.* above.

pardi, of course.

pardon, *m.* pardon.

pardonner, to forgive.

pareil, -le, same, such a, like.

parent, *m.* relative; —**s,** parents.

parer, to adorn, deck.

parfait, -e, perfect.

parfaitement, perfectly.

parfois, at times, sometimes.

parfum, *m.* perfume.

parfumé, -e, fragrant, perfumed.

parier, to wager, bet.

parisien, *m.* Parisian.

parler, to speak.

parloir, *m.* parlor, reception room (*in school or convent*).

parmi, among.

paroisse, *f.* parish.

parole, *f.* word; **adresser la** —, to speak to; **tenir** —, keep one's word.

parquet, *m.* floor.

part, *f.* share; **à** —, aside; **nulle** —, nowhere; **faire** — **de,** to announce, notify.

partager, to divide, share.

partant, consequently, therefore.

parti, *m.* party; side; decision; **prendre le** — **de,** to decide to.

particulier, -ère, peculiar, especial; *m.* individual; **en**

mon —, for my own self; **en** —, especially.

particulièrement, especially.

partie, *f.* part; **faire** —, to be a part of.

partir, to depart, leave.

partout, everywhere.

parure, *f.* ornament.

parvenir, to reach, attain, succeed.

pas, *m.* pace, step, threshold.

pas, not; — **du tout,** not at all.

passant, *m. f.* passer-by.

passé, -e, past, former, faded.

passé, *m.* past.

passer, to pass, forgive, exceed, take (*an examination*); **se** —, happen.

pasteur, *m.* shepherd.

pâté, *m.* meat pie.

paternel, -le, paternal.

patiemment, patiently.

patriarche, *m.* patriarch.

patrie, *f.* fatherland.

patrimonial, -e, patrimonial.

patriote, *m.* patriot.

patronnet, *m.* pastry cook's boy.

patte, *f.* paw, foot.

paupière, *f.* eyelid.

pause, *f.* pause, stop.

pauvre, poor.

pauvrement, poorly.

pauvreté, *f.* indigence; poor stuff.

pavé, *m.* paving stone.

pavillon, *m.* pavilion, summerhouse.

pavois, *m.* shield; **mettre sur le** —, to raise to the throne.

payer, to pay, pay for, repay.

pays, *m.* country.

paysan, *m.* peasant; —ne *f.* country-woman, peasant.

peau, *f.* skin, hide.

péché, *m.* sin.

pécher, to fish.

pécheur, *m.* fisherman.

pédagogie, *f.* pedagogy, science of education.

pédagogue, *m.* teacher, pedagogue.

peigne, *m.* comb.

peigner, to comb.

peignoir, *m.* dressing *or* morning-gown.

peindre, to paint.

peine, *f.* penalty, pain, trouble, sorrow; difficulty; à —, hardly, scarcely.

peiner, to labor.

peintre, *m.* painter.

peinture, *f.* paint.

pêle-mêle, *adv.* pell-mell.

pèlerin, *m.* pilgrim.

pelle, *f.* shovel.

peloton, *m.* ball (*of thread*).

penchant, *m.* tendency, propensity.

penché, –e, leaning.

pencher, to incline; se —, incline, lean.

pendant, during.

pendre, to hang.

pendu, –e, hanging.

pendule, *f.* clock.

pénétré, –e, penetrated, full of, convinced.

pénétrer, to penetrate.

pénible, painful.

pénitence, *f.* penance.

pensée, *f.* thought.

penser, to think, come near, almost do (*something*).

pension, *f.* boarding school.

pensionnaire, *m. f.* pupil of boarding school.

pensum, *m.* task (*inflicted as punishment*).

perdre, to lose.

père, *m.* father.

perfection, *f.* perfection.

permettre, to permit.

pernicieux, –se, pernicious, harmful.

perpétuel, –le, perpetual.

perplexité, *f.* perplexity.

perron, *m.* flight of steps.

perroquet, *m.* parrot; (*nav.*) topgallant sail.

perruquier, *m.* barber.

persécuter, to persecute.

persécuteur, *m.* persecutor.

personnage, *m.* person, personage, character.

personne, *f.* person; *pron.* anyone; — ne, nobody.

perspective, *f.* perspective.

perspicace, perspicacious, far-sighted.

persuader, to persuade.

perte, *f.* loss, ruin.

pesant, –e, heavy.

peser, to weigh.

petit, –e, small, little; les —s, *m. pl.* the little ones.

peu, small amount, a few; un —, a little; — à —, little by little; pour — que, *conj.* if only, however little.

peuple, *m.* people.

peur, *f.* fear; avoir —, to be afraid; faire —, frighten:

prendre —, become frightened.

peut-être, perhaps.

phénomène, *m.* phenomenon.

philosophe, *m.* philosopher.

philosophie, *f.* philosophy.

phrase, *f.* phrase.

physique, *f.* physics.

pianiste, *m.* pianist.

piano, *m.* piano.

picorer, to plunder, maraud.

pièce, *f.* piece; room; — de cent sous, five franc piece.

pied, *m.* foot; fair un — de nez, "take a sight at" (*with the thumb to the nose*).

pierre, *f.* stone.

Pierre, Peter.

piété, *f.* piety.

pieux, –se, pious, godly.

pincée, *f.* pinch.

pincer, to pinch.

pincettes, *f.* tongs.

pique, *f.* pike.

pire, worse.

pirogue, *f.* canoe.

pis, *adv.* worse.

pistolet, *m.* pistol.

pitié, *f.* pity.

pitoyable, pitiful.

placard, *m.* closet; (*printing*) slip, galley-proof.

place, *f.* place, public square, seat, stand.

placer, to place, put.

placide, placid.

plafond, *m.* ceiling.

plage, *f.* beach.

plaie, *f.* sore, wound.

plaindre, to pity; se —, complain.

plainte, *f.* complaint, moan.

plaire, to please.

plaisir, *m.* pleasure.

plan, *m.* plan, outline.

planche, *f.* board, plank, shelf.

plancher, *m.* floor.

plante, *f.* plant; Jardin des Plantes. See note to page 36.

plat à barbe, *m.* shaving dish.

platane, *m.* plane-tree.

plein, –e, full.

plénitude, *f.* fullness.

pleurer, to weep, mourn.

pleuvoir, to rain.

pli, *m.* habit, bent. See note to page 29.

plier, to fold.

plomb, *m.* lead.

plonger, to plunge.

pluie, *f.* rain.

plume, *f.* pen, feather, quill.

plumeau, *m.* duster.

plus, *adv.* more, most.

plusieurs, several.

plutôt, rather.

poche, *f.* pocket.

poêle, *f.* frying-pan.

poésie, *f.* poetry.

poète, *m.* poet.

poétique, poetic.

poids, *m.* weight.

poignée, *f.* handle, hilt.

poinçon, *m.* bodkin, punch; — à broder, embroidery needle.

poing, *m.* fist; coup de —, fisticuff.

point, *m.* dot, point, mark; bon —, good mark; de tout —, in every respect.

point, not, not at all.

pointe, *f.* tack, nail; (*engrav.*) point; exerça sa — fine et dure, used his fine hard point.

pointu, -e, pointed, sharp.

poire, *f.* pear; — d'angoisse, gag. See note to page 45.

pois, *m.* pea; — chiche, dwarf pea, chick pea.

poisson, *m.* fish.

poitrine, *f.* chest, breast.

police, *f.* police.

polichinelle, *m.* Punch, puppet.

polisson, *m.* scamp.

politique, political.

pommade, *f.* pomade.

pompe, *f.* pump.

porcelaine, *f.* china.

porte, *f.* door; — cochère, carriage entrance, gateway.

portée, *f.* reach, hearing, call; à —, within reach.

portefeuille, *m.* portfolio.

porter, to carry, wear.

porteur, *m.* carrier.

portier, *m.* janitor.

portrait, *m.* portrait, picture.

poser, to place, lay, set.

positif, -ve, definite.

posséder, to possess, own.

possible, possible.

postillon, *m.* postilion.

pot, *m.* pot, can, jug.

potiche, *f.* Japanese vase.

pouce, *m.* thumb.

poudreux, -se, dusty.

poulet, *m.* chicken.

pour, *prep.* for, to, as for, in order to; — jeune fille qu'elle était, although she was a girl; — que, in order that.

pourquoi, why.

poursuivre, to pursue, follow.

pourtant, however, yet, nevertheless.

pourvu que, provided that.

pousser, to push, push on, move, go, utter, grow; — un soupir, heave a sigh.

poussière, *f.* dust.

pouvoir, to be able; se peut-il, is it possible?; n'y pouvant plus tenir, unable to stand it any longer.

pratique, *f.* practice, dealing, society.

pratiquer, to practise, frequent.

précepte, *m.* precept.

précieusement, preciously.

précieux, -se, precious.

précisément, precisely, exactly.

prédestiné, -e, predestinated.

prédication, *f.* preaching.

prédiction, *f.* prediction.

préféré, *m.* favorite.

préhistorique, prehistoric.

premier, -ère, first.

prendre, to take; comment s'y —, how to go about.

préparer, to prepare.

près de, *prep.* near, on the point of.

présence, *f.* presence.

présent, -e, present; à —, now, at present.

présent, *m.* present, gift.

présenter, to present, offer.

préserver, to protect, defend.

président, *m.* president, chairman.

presque, almost.

pressé, **–e**, in a hurry.

pressentiment, *m.* presentiment.

presser, to press, urge.

prestige, *m.* prestige.

prêter, to lend; **se —**, lend itself.

prêtre, *m.* priest.

prévarication, *f.* prevarication.

prier, to beg.

princeps (*Lat.*), first; **édition —**, first edition.

principal, **–e**, principal, chief.

principalement, principally.

principe, *m.* principle.

prison, *f.* prison.

prisonnier, **–ère**, *m. f.* prisoner.

privé, **–e**, private.

prix, *m.* price, value.

procédé, *m.* action, manner.

procès-verbal, *m.* report, minutes.

prochain, *m.* neighbor.

prodige, *m.* prodigy, wonder.

prodigieusement, prodigiously.

prodigieux, **–se**, prodigious.

produire, to produce.

professeur, *m.* teacher, professor.

profil, *m.* profile; **de —**, in profile, sideways.

profit, *m.* profit.

profitable, profitable.

profond, **–e**, profound, deep.

profondément, deeply.

profusion, *f.* profusion; **à —**, in profusion, profusely.

progrès, *m.* progress.

projet, *m.* project.

promenade, *f.* promenade, walk.

promener, to walk; **— les yeux**, turn one's eyes; **se —**, go *or* walk out, take a walk.

promettre, to promise.

prompt, **–e**, prompt, speedy.

promptement, promptly.

prononcer, to pronounce.

prophétiser, to prophesy.

propitiatoire, propitiatory.

proportion, *f.* proportion.

propos, *m.* words, talk, discourse; **à —**, by the way, now I think of it; **à tout —**, at every turn.

proposition, *f.* proposition.

propre, own, same, adapted, suitable.

propre *m.* property, characteristic.

proscrit, **–e**, *m. f.* outlaw, exile.

prospère, prosperous.

proviseur, *m.* principal, head. See note to page 98.

psaume, *m.* psalm.

psychique, psychic, psychological.

public, **–que**, public.

publier, to publish.

puéril, **–e**, puerile, childish.

puis, afterwards, then.

puiser, to draw, fetch.

puisque, since.

puissant, **–e**, powerful.

punir, to punish.
punition, *f.* punishment.
pupitre, *m.* desk.
pur, −e, pure.

Q

qu' = que.
quai, *m.* quay, bank.
qualité, *f.* quality.
quand, when.
quant à, as to, as for.
quantité, *f.* quantity.
quart, *m.* quarter, fourth part.
quartier, *m.* quarter; section (*of city*); — **de roc**, great stone.
quatorze, fourteen.
quatre, four.
quatre-vingt, eighty.
que, *conj.* that, than, as, because; — **je t'embrasse**, let me kiss you; **ne . . . —**, only; **c'est —**, it is because.
que, *rel. pron.* whom, which, that; *inter. pron.* what?
quel, −le, *inter. adj.* what, which; **lequel, laquelle**, *rel. pron.* who, whom, which, that; *inter. pron.* which, which one(s)?
quelque, *pron. adj.* some, a few; *adv.* however; **quelqu'un**, someone, somebody.
quelquefois, sometimes.
quereller, to quarrel with, scold.
question, *f.* question.
questionneur, −se, *m. f.* inquirer.
queue, *f.* tail, pigtail.
qui, *rel. pron.* who, whom, which, that; *inter. pron.* who, whom?
quiconque, *pron.* whoever, whichever.
quinzaine, *f.* about fifteen.
quinze, fifteen.
quitter, to leave; — **des yeux, du regard**, take one's eyes off from.
quoi, *rel. pron.* what, which; — **que ce fût**, anything, whatever; **de —**, enough to; *inter. pron.* what?
quotidien, −ne, daily, every day.

R

rabattre, to beat down, bring down, lower.
raccommodement, *m.* reconciliation.
raccommoder, to mend, set right.
race, *f.* race.
racine, *f.* root.
raconter, to relate, tell.
radeau, *m.* raft, float.
rafale, *f.* gust of wind, squall.
rage, *f.* rage, mania, inveterate habit.
raide, stiff, rigid.
raisin, *m.* grape, raisin.
raison, *f.* reason, mind, right, argument; **avoir —**, to be right; **plus que de —**, more than is reasonable.
raisonnable, reasonable.
raisonnement, *m.* reasoning, argument, answer.
raisonner. to reason. consider.

ramage, *m.* design of flowers.

rameau, *m.* bough, branch.

ramener, to bring again, bring back.

rampe, *f.* banister, railing.

rancune, *f.* rancour, spite, malice.

rang, *m.* rank.

ranger, to put in order.

ranimer, to revive.

rappeler, to recall; **se —**, remember.

rapport, *m.* report.

rapporter, to bring back, bring in, produce.

rapprocher, to draw *or* bring near.

rare, rare.

rasé, -e, shaved.

rassurer, to reassure.

rat, *m.* rat.

rationnellement, rationally.

rattraper, to catch again, retake.

rauque, hoarse, harsh.

ravage, *m.* ravage, havoc.

ravir, to charm, delight; **à —**, delightfully.

ravissement, *m.* delight.

rayon, *m.* ray, beam, gleam.

réaliser, to realize, convert into money. See note to page 31.

réalité, *f.* reality; **en —**, in fact.

rébus, *m.* rebus, riddle.

réception, *f.* reception.

recevoir, to receive.

réchauffer, to warm up.

recherche, *f.* search.

récit, *m.* story.

réciter, to recite, tell (*what one has learned by heart*).

recommandation, *f.* recommendation, advice.

recommencer, to begin again, recommence.

récompense, *f.* reward.

reconnaissable, recognizable.

reconnaissance, *f.* gratitude.

reconnaître, to recognize, acknowledge.

recourir, to have recourse, have resort to.

rectitude, *f.* straightness.

reçu, *m.* receipt.

redevable, indebted, obliged.

rédiger, to compose.

redingote, *f.* frock-coat.

redouter, to dread, fear.

refaire, to make again, remake.

réfectoire, *m.* dining hall.

réfléchi, -e, thoughtful.

réfléchir, to reflect.

refléter, to reflect.

réflexion, *f.* reflection; **faire —**, to think, consider.

refouler, to force back.

refuser, to refuse.

régalade: *f.* boire à la —, to drink by pouring the liquid into the mouth without touching the glass.

regard, *m.* look, gaze, stare.

regarder, to look at, look.

régiment, *m.* regiment.

régir, to govern.

registre, *m.* record, account

règle, *f.* rule, order, ruler.

régler, to rule, settle.

régner, to reign, prevail.

régulier, -ère, regular.

régulièrement, regularly.

regorger, to overflow, run over.

regretter, to regret.

reine, f. queen.

relaxer, to release.

relayer, to change horses.

relevé, -e, raised, exalted.

relever, to raise, lift up, release; se —, get up again.

relier, to bind.

religieuse, f. sister of charity, nun.

religieux, -se, religious.

religion, f. religion.

relique, f. relic.

reluire, to shine, glitter.

remarquable, remarkable.

remarquer, to notice, observe.

remercier, to thank.

remettre, to put back, put, replace, reconcile.

remords, m. remorse.

remplir, to fill.

remuer, to move.

rencontre, f. meeting.

rencontrer, to meet.

rendre, to return, render; je dois leur — une justice, I must say this for them.

renfermer, to shut up, lock up.

renoncer, to renounce.

rentrée, f. opening (of the schools).

rentrer, to return, re-enter.

renverse (à la), backwards.

renverser, to upset, knock over; la tête renversée, the head thrown back.

renvoyer, to send back.

répandre, to spill, spread, scatter.

réparer, to repair.

repas, m. repast, meal; — de gala, state dinner.

repaver, to repave.

répéter, to repeat.

répondre, to respond, answer.

repos, m. rest, quiet, repose.

reposer, to rest.

reprendre, to retake; resume; reply.

représentation, f. performance, spectacle.

représenter, to represent; se —, present oneself again, imagine.

république, f. republic.

résister, to resist.

résolution, f. resolution.

résonner, to resound.

résoudre, to resolve.

respect, m. respect.

respectable, respectable.

respectueusement, respectfully.

respectueux, -se, respectful.

respiration, f. respiration, breathing.

respirer, to breathe.

ressembler, to resemble.

ressentir, to feel, experience, resent.

resserré, -e, cooped up, penned in.

ressource, f. resource.

reste, m. rest, remainder; au —, moreover.

rester, to remain, stop; — court, stop short.

résumer, to sum up.

retard, *m.* delay; **en —**, late.

retenir, to retain, hold, prevent, remember.

retenue, *f.* reserve; keeping in; **je vous infligerai une — générale**, I'll keep you all in after school.

retirer, to retire; **se —**, withdraw.

retomber, to fall again.

retour, *m.* return; **de —**, back.

retrancher, to cut off, to retrench, remove.

retrouver, to find again, join.

réuni, **-e**, reunited.

réunir, to reunite, unite.

rêve, *m.* dream.

réveiller, to awake, rouse, call up.

révélation, *f.* revelation.

révéler, to reveal.

revenant, *m.* ghost.

revenir, to come back, return; **en —**, come back, return.

rêver, to dream.

réverbère, *m.* street lamp.

rêverie, *f.* musing, dreaming, reverie.

revêtir, to clothe.

rêveur, *m.* dreamer.

revoir, to see again.

révolutionnaire, revolutionary.

revue, *f.* review, magazine.

rhétorique, *f.* first class (*in a French lycée*). See note to page 109.

rhumatisme, *m.* rheumatism.

ricanement, *m.* sneer, laughter.

riche, rich.

richesse, *f.* riches, wealth.

ride, *f.* wrinkle.

rideau, *m.* curtain.

ridicule, ridiculous.

ridicule, *m.* ridicule, folly.

rien, nothing, anything; **n'être plus de — à**, to be nothing more to.

rieur, **-se**, laughing.

rire, to laugh.

risible, laughable.

rivière, *f.* river.

robe, *f.* gown, dress; **— de chambre**, dressing gown.

roc, *m.* rock, stone.

rôdeur, *m.* prowler, rambler.

roi, *m.* king.

romain, **-e**, Roman.

romanesque, romantic.

rompre, to break.

rond, **-e**, round.

rondache, *f.* round shield.

ronger, to gnaw, nibble.

rose, pink.

rose, *f.* rose.

rôtir, to roast.

rouge, red.

rougeoyer, to become red, redden.

rouillé, **-e**, rusty.

rouler, to roll, turn.

route, *f.* road.

rouvrir, to reopen.

ruban, *m.* ribbon.

rude, rough, harsh, uncouth.

rudiment, *m.* rudiment. See note to page 98.

rue, *f.* street.

ruelle, *f.* bedside, ruelle (*space between the bed and the wall*).

ruiner, to ruin.
ruisseau, *m.* brook, gutter.
ruse, *f.* cunning, guile.
rusé, –e, crafty, cunning.
rythme, *m.* rhythm.

S

sa, *see* son.
sable, *m.* sand.
sabord, port-side, port.
sabot, *m.* wooden shoe, whipping top.
sabre, *m.* sabre, sword.
sac, *m.* bag.
sachet, *m.* sachet, scent-bag.
sacré, –e, sacred.
sacrifice, *m.* sacrifice.
sage, wise, sensible; (*of children*) good.
sagement, wisely, sensibly.
sagesse, *f.* wisdom.
saillie, *f.* projection: faire — sur, to project.
saint, –e, holy; *m.* saint.
Saint-Louis. See note to page 17.
sainteté, *f.* holiness.
saisie, *f.* seizure.
saisir, to seize, grasp.
saisissant, striking, startling.
salade, *f.* salad.
salaire, *f.* wages, pay.
salir, to soil.
salle, *f.* hall, room; — à manger, dining room.
salon, *m.* parlor.
saluer, to greet.
salut, *m.* salvation, greeting.
salutaire, wholesome, salutary.

samedi, Saturday.
sang, *m.* blood.
sanglant, –e, bloody, bleeding.
sanglot, *m.* sob.
sangloter, to sob.
sans, *prep.* without; — que, without.
sans-culotte, *m.* "sans-culotte." See note to page 58.
satisfaction, *f.* satisfaction.
satisfaire, *f.* to satisfy.
satyre, *m.* satyr.
saule, *m.* willow.
sauter, to jump, skip; faire —, break open.
sautiller, to skip, hop.
sauvage, wild, savage; *m.* savage.
sauver, to save.
savant, –e, learned.
savate, *f.* old shoe.
savoir, to know.
savon, *m.* soap.
savonner, to wash with soap.
scarlatine, *f.* scarlet fever.
scélérat, *m.* rascal.
scène, *f.* scene, stage.
science, *f.* science.
scolaire, of the school, scholastic.
sculpter, to sculpture, carve.
sculpture, *f.* sculpture.
se, *conj. pers. pron.* oneself, himself, herself, itself, themselves.
séant, –e, fitting, proper.
seau, *m.* pail, bucket.
sec, sèche, dry.
second, –e, second.

seconde, *f.* second class (*in a French lycée*)

secouer, to shake.

secours, *m.* help, aid.

secret, *m.* secret.

secrétaire, *m.* secretary; desk.

section, *f.* political division of Paris during the Revolution.

séculier, –ère, secular.

sécurité, *f.* security.

sédentaire, sedentary.

séduction, *f.* charm, seduction.

seigneur, *m.* Lord, lord.

sein, *m.* bosom; midst.

séjour, *m.* sojourn, stay.

sel, *m.* salt.

selon, *prep.* according to.

semaine, *f.* week.

semblable, like, similar.

semblant, *m.* pretence; faire —, to pretend.

sembler, to seem; à ce qu'il me sembla, so it seemed to me.

semer, to sow, scatter, dot.

sens, *m.* direction, sense, meaning; le — commun, common sense.

sensibilité, *f.* sensibility, warm-heartedness.

sensible, sensitive, kind, warm-hearted.

sentiment, *m.* feeling, sense, consciousness; perdre le —, to lose consciousness.

sentir, to smell, feel; smell of; se —, feel.

sept, seven.

sépulture, *f.* burial, interment, vault, grave.

sergent, *m.* sergeant.

sérieux, –se, serious.

sérieux, *m.* seriousness.

sérieusement, seriously.

seringue, *f.* syringe.

serment, *m.* oath, protestation.

sermonnaire, *m.* preacher, pulpit-orator.

serpent, *m.* snake, serpent.

serre, *f.* hot-house.

serré, –e, tight; small (*handwriting*); heavy; il avait le cœur —, his heart was heavy.

serrer, to press, join; se —, press close, fasten, tighten.

serrure, *f.* lock.

servante, *f.* servant.

service, *m.* military service; servants.

serviette, *f.* napkin, towel.

servir, to serve.

seul, –e, alone, single, only, very.

seulement, only.

sévère, severe.

shako, *m.* shako.

si, *conj.* if, whether.

siècle, *m.* century.

siège, *m.* siege.

sien, –ne, *poss. adj.* his, hers; un — frère, a brother of his.

sifflement, hissing, whistling, wheezing.

signe, *m.* sign; faire —, to beckon.

signal, –aux, *m.* signal.

signaler, to point out.

signe, *m.* sign.

signification, *f.* meaning.

silence, *m.* silence.

silencieux, –se, silent.

silex, *m.* silex, flint.

Siméon Stylite. See note to page 37.

simonie, *f.* simony. See note to page 91.

simple, simple.

simplicité, *f.* simplicity, naïveté.

singe, *m.* monkey.

singulier, –ère, singular.

situation, *f.* situation, position.

six, six.

sociable, sociable.

social, –e, social.

société, *f.* society.

sœur, *f.* sister.

soie, *f.* silk.

soif, *f.* thirst; avoir —, to be thirsty.

soigner, to take care of, nurse.

soin, *m.* care; avoir —, to be careful.

soir, *m.* evening.

soirée, *f.* evening, evening party.

sol, *m.* soil, ground.

solaire, solar; cadran —, sun-dial.

soldat, *m.* soldier.

solécisme, *m.* solecism, mistake in syntax.

soleil, *m.* sun.

solennité, *f.* solemnity.

solfège, *m.* solfeggio, theory of music.

solide, solid.

solitaire, solitary; *m. f.* recluse, hermit.

solitude, *f.* solitude.

sombre, dark, dingy, gloomy.

somme, *f.* sum; en —, in the main.

sommeil, *m.* sleep.

sommet, *m.* summit, top.

somnambule, *m.* somnambulist.

son, sa, ses, *poss. adj.* his, her, its, one's.

son, *m.* sound.

songe, *m.* dream.

songer, to dream, dream of, think, muse.

sonner, to ring, ring for, strike.

sorcellerie, *f.* sorcery, witchcraft.

sordide, dirty, sordid.

sort, *m.* fate, fortune.

sorte, *f.* kind, sort, manner; de la —, in this *or* in that manner.

sortir, to go out, descend from.

sortir, *m.* going out; dès le — de l'enfance, on coming out of childhood.

sot, –te, *m. f.* fool, foolish person.

sou, *m.* penny.

souci, *m.* care.

se soucier (de), to care for, care about.

soudain, suddenly.

souffle, *m.* breath, puff.

souffler, to blow.

souffrant, –e, suffering, ailing.

souffrir, to suffer.

souhait, *m.* wish, desire; à —, as one could wish.

souiller, to soil.

soulever, to raise, lift up.

soulier, *m.* shoe.

soupçon, *m.* suspicion.

soupçonner, to suspect, surmise.

soupir, *m.* sigh.

soupirail, *m.* air-hole.

soupirer, to sigh.

source, *f.* spring.

sourcil, *m.* eyebrow.

sourd, –e, deaf, dull, hollow.

sourire, to smile.

sourire, *m.* smile.

sous, under, below, beneath, in.

sous-directeur, *m.* assistant director.

sous-secrétaire, *m.* under-secretary.

soutane, *f.* cassock.

se souvenir (de), to remember.

souvenir, *m.* recollection.

souvent, often.

souverain, –e, supreme; *m.* ruler.

spécialement, especially.

spectacle, *m.* spectacle, sight.

spectateur, *m.* spectator; —s, audience.

spirituel, –le, spiritual; clever, witty.

splendide, splendid.

spolier, to despoil, rob.

squelette, *m.* skeleton.

statistique, *f.* statistics.

statue, *f.* statue.

stérile, sterile.

stratagème, *m.* ruse.

strident, –e, screaking, harsh.

stupide, stupid, foolish.

style, *m.* style.

subit, –e, sudden.

subitement, suddenly.

sublime, sublime.

succinct, –e, short, brief.

sucré, –e, sugared, sweetened.

sueur, *f.* perspiration.

suffire, to suffice.

suite, *f.* continuation; dans la *or* par la —, afterwards; esprit de —, coherence.

suivant, –e, next, following.

suivre, to follow.

sujet, *m.* subject.

superbe, superb.

supériorité, *f.* superiority.

supplication, *f.* supplication, entreaty.

supplice, *m.* torture.

supplier, to supplicate.

supportable, supportable.

suppression, *f.* suppression.

sur, *prep.* on, upon, over; — le champ, immediately.

sûr, –e, sure.

suranné, –e, antiquated.

sûreté, *f.* safety.

surmonter, to surmount.

surnaturel, –le, supernatural.

surpasser, to surpass.

surplomb, *m.* overhanging; en —, overhanging.

surprendre, to surprise.

surprise, *f.* surprise.

surtout, especially.

surveiller, to watch.

suspect, –e, suspected, suspicious.

suspendu, –e, suspended, hung up.

sympathie, *f.* sympathy.

système, *m.* system.

T

tabac, *m.* tobacco, snuff.

tabatière, *f.* snuff-box.

table, *f.* table; — **de Pythagore,** multiplication table.

tableau, *m.* picture; — **noir,** blackboard.

tablier, *m.* apron.

tabouret, *m.* footstool.

tache, *f.* spot.

tâche, *f.* task.

taille, *f.* waist; **avoir la — fine,** to have a slender figure.

tailler, to cut, trim.

taire, to hush, suppress; **se —,** hold one's tongue, be quiet.

talent, *m.* talent.

talon, *m.* heel.

tambour, *m.* drum

tandis que, while.

tant, so much, as much, so many, as many.

tante, *f.* aunt.

tantôt, just now, soon; — ... — ..., now ... now ... *or* sometimes ... sometimes ...; — ... **ou** ..., sometimes ... sometimes ...

tapis, *m.* rug, carpet.

tapisser, to hang with tapestry, paper, line, cover.

tapisserie, *f.* tapestry.

tard, late.

tarder, to delay; **il lui tardait,** he longed.

targe, *f.* targe, shield.

tas, *m.* pile, heap.

teint, *m.* complexion.

teinte, *f.* tint, color.

tel, –le, such, such a.

témoignage, *m.* testimony, proof.

témoin, *m.* witness, token.

temps, *m.* time.

tendre, tender.

tendre, to extend.

tenir, to hold, be bound, be obliged, come from, stand, take after, have; — **compte,** take into account; **il ne tient qu'à vous de,** it only depends on you to; **se — debout,** stand; **s'en — à,** to content oneself with; **n'y pouvant plus —,** unable to stand any longer; **je m'en tins.** See note to page 37.

tente, *f.* tent.

tenter, to attempt, tempt, try.

tenture, *f.* hangings, tapestry; **papier de —,** wall-paper.

tératologie, *f.* teratology.

tératologique, teratological.

terme, *m.* word.

terminer, to terminate; **se —,** end, finish.

terni, –e, tarnished, dimmed.

terrasse, *f.* terrace.

terre, *f.* earth; **à —,** on the ground.

terrestre, terrestrial.

terreur, *f.* terror, Reign of

Terror during the French Revolution (1793–94).

terrible, terrible.

tête, *f.* head.

texte, *m.* text.

thé, *m.* tea; tea-party.

théâtre, *m.* theatre.

thébain, –e, Theban.

thyrse, *m.* thyrsus. See note to page 87.

tiers, *m.* third.

tignasse, *f.* shock of hair.

tigre, *m.* tiger.

timidité, *f.* bashfulness.

tinter, to ring.

tirer, to draw, pull, stretch (*lines*).

tiroir, *m.* drawer.

Tite-Live, Livy. See note to page 99.

titre, *m.* title.

toile, *f.* cloth, linen; — **cirée**, oilcloth.

toilette, *f.* toilet.

tolérance, *f.* toleration, tolerance.

tolérant, –e, tolerant.

tolérer, to tolerate, permit.

tomahawk, *m.* tomahawk.

tombe, *f.* tomb.

tombeau, *m.* tomb, grave.

tomber, to fall.

tome, *m.* volume, tome.

ton, *m.* tone, sound.

tonnelier, *m.* cooper.

tonnerre, *m.* thunder.

toque, *f.* cap.

tordre, to wring, twist; **se** —, writhe.

torpeur, *f.* torpor.

tort, *m.* wrong, fault; **avoir** —, to be wrong, mistaken.

tortue, *f.* turtle, tortoise; **faire la** —, to play turtle.

torturer, to torture.

touchant, –e, touching.

toucher, to touch.

toujours, always.

toupie, *f.* top.

tour, *f.* tower.

tour, *m.* turn, tour, trip; — **à** —, in turn.

tourelle, *f.* belfry, little tower, turret.

tourment, *m.* torment.

tourmenter, to torment.

tournant, *m.* turning, turn.

tourné, –e, turned; (*lit.*) written.

tourner, to turn; **se** —, turn (towards).

tousser, to cough.

tout, –e, **tous**, **toutes**, all, every, everything; **tous deux**, both; — **le monde**, everybody; *adv.* quite; — **à coup**, suddenly; **pas du** —, not at all; — **à fait**, quite, entirely; — **beau qu'il soit**, however beautiful it may be.

toutefois, yet, however.

tracer, to outline.

tradition, *f.* tradition.

tragique, tragic; *m. pl.* **les** —**s**, the authors of tragedy.

traîner, to drag, trail.

trait, *m.* line, trait, deed, feature.

traite, *f.* trade; — **des noirs**, slave-trade.

tranquille, tranquil, left alone.

tranquillement, quietly.

transmettre, to transmit, hand down.

trapèze, *m.* trapeze.

traquer, to hunt out, persecute.

travail, *m.* work.

travailler, to work.

travers, *m.* breadth; **à —**, across, through.

traverser, to cross.

tremblant, **–e**, trembling.

tremblement, *m.* trembling.

trembler, to tremble.

trémie, chimney. See note to page 122.

tremper, to dip, soak.

trentaine, *f.* about thirty.

trente, thirty.

très, very, very much; **le Très-Haut**, the Almighty.

trésor, *m.* treasure.

tribulation, *f.* tribulation.

tribunal, *m.* tribunal.

tribune, *f.* tribune (*of political assembly*).

trier, to sort.

triste, sad.

tristesse, *f.* sadness.

trois, three.

troisième, third; *f.* third class (*in French lycée*).

trognon, *m.* stump; **— de chou**, cabbage stump.

tromper, to deceive; **se —**, be mistaken.

trop, too, too much, too many; **de —**, too much.

trophée, *m.* trophy.

trotter, to trot, run.

trou, *m.* hole.

trouble, *m.* disturbance, disorder, emotion.

troubler, to trouble, worry.

troupe, *f.* troop, band.

trouver, to find; **se —**, happen.

tu, *pron.* thou, you.

tuer, to kill.

tumeur, *f.* tumor.

tumulte, *m.* tumult, noise.

tunique, *f.* tunic.

tunnel, *m.* tunnel.

tutélaire, protecting, tutelar.

tyran, *m.* tyrant.

U

Ulysse, Ulysses.

un, **–e**, a, an, one.

uniforme, *m.* uniform.

unique, only, unique, alone of its kind.

unir, to unite, bring together.

universel, **–le**, universal.

Université, *f.* University of France (*the whole State school system of France*).

usage, *m.* use, usage; **hors d'—**, out of use.

usé, **–e**, worn, worn out.

user, to wear out, use; **en — à l'égard de quelqu'un**, to treat someone.

utile, useful.

utilité, *f.* usefulness.

V

va, *3d sing. pres. ind. and 2d sing. impve. of* **aller**.

vacances, f. pl. vacation.

vaciller, to flicker, glimmer.

vague, vague.

vague, m. vagueness.

vaguer, to wander, stray, rove.

vaillant, -e, gallant.

vain, -e, vain; en —. in vain.

vainement, in vain.

valeur, f. worth, value, security.

vallée, f. valley, vale.

vaniteux, -se, vain.

varié, -e, varied.

varier, to vary, change.

vase, m. vase.

vaste, vast, huge.

vaurien, m. good-for-nothing.

véhémentement, vehemently.

veille, f. day before.

veiller, to watch, lie awake, be careful.

velours, m. velvet.

vendre, to sell.

vengeance, f. vengeance, revenge.

venger, to avenge.

venir, to come.

vent, m. wind; en plein —, in the open air.

ventre, m. stomach; à plat —, flat on the face.

ventrebleu! goodness! zounds!

ver, m. worm; — à soie, silkworm.

véritable, true, veritable.

véritablement, truly.

vérité, f. truth; à la —, in truth, indeed.

vermoulu, -e, wormeaten.

verni, -e, varnished.

verre, m. glass.

vers, prep. toward.

vers, m. verse.

version, f. translation.

vert, -e, green.

vertu, f. virtue, power.

vertubleu! goodness! See note to page 59.

veste, f. coat.

vêtement, m. clothes, garment, dress.

vêtir, to dress.

veuve, f. widow.

vibrant, -e, vibrating.

vicaire, m. vicar.

vice, m. vice.

victime, f. victim.

vide, empty.

vider, to empty.

vie, f. life; de ma —, in all my life.

vieillard, m. old man.

vieille, f. old woman.

vieillerie, f. old thing.

vieillesse, f. old age.

vieillir, to grow old.

vierge, f. virgin.

vieux, vieil, vieille, old.

vif, -ve, lively, vivid, real, vivacious.

vigne, f. vine; — vierge, ivy.

vilain, -e, ugly, naughty, disagreeable.

village, m. village.

ville, f. city: en —, in town.

vin, m. wine.

vingt, twenty.

vingt-cinq, twenty-five.

violence, f. violence, act of violence.

violent, -e, violent.

violet, -te, violet.

violon, *m.* violin.
Virgile, Vergil.
Virginie, Virginia.
viril, -e, virile, manly.
visage, *m.* face.
visiblement, visibly, obviously.
vision, *f.* vision.
visite, *f.* visit; rendre —, to pay a call; en —, on a visit, visiting.
visiter, to visit.
visiteur, *m.* visitor, caller.
vite, quick, quickly.
vitre, *f.* window pane.
vitrine, *f.* glass case, show-case, shop-window.
vivant, *m.* living person; en *or* de son —, during his lifetime.
vivre, to live, exist.
vocation, *f.* vocation, call.
vœu, *m.* vow, wish.
voici, here is, here are; le —, here it (he) is.
voie, *f.* way, road.
voilà, see there! behold! there is, there are, that is, those are; la —! there she (it) is; me —, here I am.
voile, *m.* veil.
voile, *f.* sail.
voilé, -e, veiled.
vior, to see.
voisin, -e, *m. f.* neighbor.
voisinage, *m.* neighborhood.
voisiner, to be neighborly, visit one's neighbors.
voiture, *f.* carriage.
voix, *f.* voice; à haute —, in a loud voice.

voleur, *m.* thief.
volière, *f.* aviary, pigeon-house.
volontaire, *m.* volunteer.
volontiers, willingly.
volume, *m.* volume.
volupté, *f.* delight, pleasure.
vomissement, *m.* vomiting.
vouer, to vow; se —, devote oneself, sacrifice oneself.
vouloir, to wish, will, want, please; en — à, have a grudge against.
vous, *pron.* you.
voûte, *f.* vault, arch.
voyage, *m.* voyage, journey.
voyager, to travel.
voyant, -e, loud, showy.
vrai, -e, true; à — dire, to speak the truth.
vraiment, truly.
vue, *f.* sight, view; perdre de —, to lose sight of.
vulgairement, commonly, popularly.

Y

y, *pron. adv.* there, thither, in it, in them; at it, at them, to it; to them, into it; into them; for it, for them.
yeux, *pl.* of œil.
Yvetot. See note to page 41.

Z

zèle, *m.* zeal.
zélé, -e, zealous.
zoologie, *f.* zoology.